DOMINIQUE DEMERS

Le Secret des Dragons

Illustrations : Sophie Lussier

DOMINIQUE ET COMPAGNIE

Les personnages

Mon nom complet, c'est Liliane Labrie.

Mon meilleur ami est un génie !

Mon parrain mène une vie palpitante !

Notre merveilleux dragon !

C'est le dragon élevé par les Dragonniers...

Notre gardien géant
est adorable.

Il a une allure
de bandit…

C'est une riche
femme d'affaires…

Et voici
son associé.

Il est aussi
beau que
cruel!

Résumé de la partie 5

Ernesto Armaturo nous a emprisonnés dans son sombre château au sommet du mont Ayuthaya en Nouvelle-Zélande. Imagine! Léo, Sam et moi... en compagnie de Dédale, le redoutable dragon du chef des Dragonniers.

Nous avons découvert que Sylvain Sicotte est prisonnier lui aussi et que Sophie Saphir complote avec son amoureux Spartacus. La sorcière Saphir veut utiliser la draconite de Sam et de Dédale pour fabriquer des produits de beauté. De son côté, le chef des Dragonniers compte transformer Sam en arme de destruction.

Notre pauvre dragon s'est fait fouetter par Dimitri, un gardien cruel sous les ordres d'Ernesto. Heureusement que Momo, un gentil gardien grand comme un géant, est devenu notre allié.

Dédale s'est tellement assagi en notre compagnie qu'au moment de fuir le château, Sam a refusé de partir sans son nouvel ami.

Une chance, parce qu'au dernier moment, l'armée des Dragonniers nous a encerclés.

Il n'y avait qu'une façon de leur échapper. Et pour y arriver, nous avions absolument besoin de Dédale…

CHAPITRE 1

Enragé ou fou?

Des larmes roulent sur mes joues. Je ne pleure pas, le vent fait couler mes yeux. C'est comme ça quand on voyage à dos de dragon.

Léo chevauche Dédale pendant que je serre mes bras très fort autour du cou de Sam, le nez chatouillé par le poil entre ses oreilles. Nous survolons une vaste forêt où poussent des arbres étranges et des plantes inconnues. On dirait une jungle tellement c'est dense. Au loin, de très hautes montagnes aux sommets enneigés montent la garde. Nous nous déplaçons dans le ciel de l'île du sud, le territoire le plus reculé de la Nouvelle-Zélande, un pays du bout du monde.

Je me souviens à peine du moment où j'ai grimpé sur le dos de Sam tellement j'étais affolée. Mon cœur a fait plusieurs tours d'ascenseur quand Saminou a soulevé ses grandes ailes pour s'élancer du haut d'une des tours du château où nous étions prisonniers. J'ai cru qu'on allait s'écraser sur le sol lorsque, soudain, une sorte de miracle s'est produit.

On volait !

Voler en plein ciel, c'est encore plus merveilleux que ce que j'avais imaginé dans mes plus **beaux rêves**. On dirait que le monde nous appartient. Je suis voisine des nuages et cousine des oiseaux. Tout ce que j'entends, c'est le souffle du vent et le claquement des ailes de Sam.

Le château d'Ernesto Armaturo est déjà loin. Et... je ne vois plus Léo. Crotte de pou ! Léo et Dédale ont disparu ! J'étire le cou et je me penche pour mieux regarder même si c'est un peu **épeurant**.

Fiou ! Ils sont là. Au-dessous de nous. Mais... ils foncent vers la forêt. On dirait un avion dont le pilote a perdu le contrôle. *Le dragon d'Ernesto est-il devenu enragé ou fou ?*

— SAAAAM !

Le vent enterre mes paroles. Pour attirer son attention, je n'ai pas le choix : je le **pince**. Pas trop fort, mais quand même...

Surpris, mon pauvre dragon s'agite comme pour se débarrasser d'un insecte. Son mouvement me déstabilise juste assez pour que je lâche prise. Je me sens glisser…

AU SECOURS!!!

D'un coup d'aile, Sam me remet en place juste à temps. Ouf!

Sam a vu que Dédale veut atterrir *d'urgence* en pleine forêt tropicale. Mon dragon descend en piqué vers son ami, sans doute pour le **secourir**.

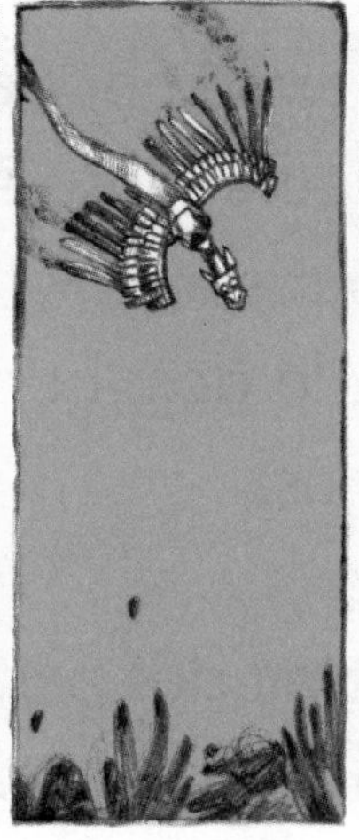

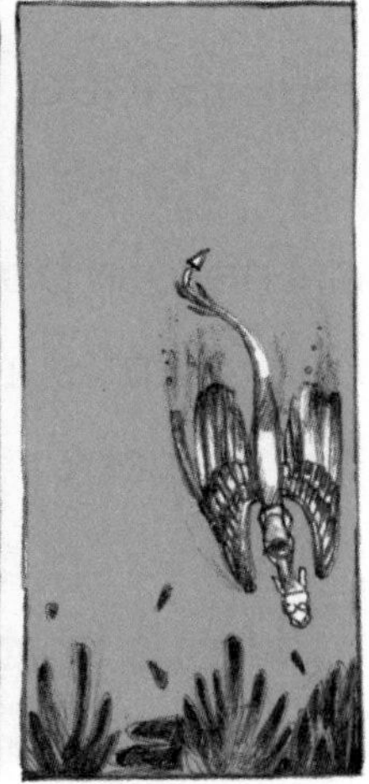

Mais... que se passe-t-il?

Sam tremble de tous ses membres. Il semble déployer des efforts inouïs pour continuer à battre des ailes.

Soudain, je comprends. **Tête de nouille, Lili Labrie!** J'aurais dû y penser avant.

Nos dragons étaient déjà épuisés lorsque l'armée d'Ernesto nous a surpris dans la tour du château fort au sommet du mont Ayuthaya. Malgré leur fatigue extrême, Sam et Dédale ont utilisé leurs dernières réserves d'énergie pour s'envoler, chacun avec un enfant sur le dos. Et maintenant, ils n'y arrivent plus.

Il nous faudrait des parachutes. Parce qu'on va s'ééééécraaaaaser!

CHAPITRE 2

Un homme singe

— LILI ! Où es-tu ?

Léo panique. Je voudrais lui répondre, mais c'est un peu **difficile** parce que j'ai des feuilles plein la bouche, une branche dans le visage et une autre sous les fesses.

J'ai atterri avant Sam. Au sommet d'un arbre ! Heureusement que les branches ont freiné ma chute. J'ai à peine quelques égratignures. Je serais pas mal plus abîmée si je m'étais écrasée sur le sol.

Au bout d'un moment, après deux ou trois manœuvres délicates, je réussis à crier :

— ICI, Léo !

— Où ? Je ne te vois pas !

— Regarde plus haut ...

— LILI ! Que fais-tu LÀ ?

Léo a beau être un génie, il dit parfois des niaiseries.

— De la nage synchronisée !

Silence. La dure réalité nous fouette tout à coup. Je n'ai plus envie de faire des blagues. Je suis perchée au sommet d'un arbre géant au beau milieu d'une épaisse forêt tropicale remplie de **bruits suspects** et **d'odeurs bizarres**.

Je n'avais pas trop le vertige sur le dos de Sam, mais la **peur des hauteurs** me rattrape. J'ai des crampes au ventre, ma tête tourne comme une toupie, mes mains sont moites et mon cœur menace de défoncer ma poitrine.

— Lili…

— Oui, Léo…

Ma voix n'est plus qu'un murmure.

— Fais comme Tarzan.

— Tar… quoi ?

— Tarzan. C'est un **homme singe** dans le film préféré de mon père. Ton arbre a des branches tombantes. On dirait des câbles…

Une forêt tropicale, ce n'est pas comme une forêt normale. En plus d'avoir des branches qui poussent parfois vers le sol au lieu de s'étirer vers le ciel, les arbres sont beaucoup plus hauts que ceux de chez nous. Et ils sont recouverts de tiges, de mousse verte et de filaments étranges. L'effet est très impressionnant. Ça pourrait aussi bien être une forêt hantée qu'une forêt enchantée.

Je devine ce que Léo voudrait que je fasse, sauf qu'il n'en est pas question. Descendre le long d'une de ces branches tombantes, c'est juste vraiment trop **épeurant**.

Des cris aigus me font sursauter.

Ce n'est pas Léo, c'est un oiseau! Un drôle de moineau aux yeux argentés, très vifs et cerclés de noir. Un oiseau à lunettes. Il est **craquant**. Et pas une miette peureux!

Le moineau à lunettes sautille d'une branche à l'autre. Ça semble amusant. Et facile… Il n'utilise même pas ses ailes. Juste les petites griffes au bout de ses pattes.

Pendant que j'épiais mon ami à lunettes, j'ai oublié mon vertige. Ça me donne une idée. *Au lieu d'imiter Tarzan, je vais imiter le moineau tropical.*

Avec mille précautions et en me concentrant totalement sur mes bras, mes mains et mes jambes, je descends d'une branche. Puis d'une autre. J'évite de regarder le sol, qui est terriblement trop éloigné. Je vise une branche à la fois. L'oiseau me suit. C'est gentil !

Léo m'observe avec son plus beau sourire.

Mon ami est fier de moi. Ça me donne du courage.

Léo se hisse sur l'énorme tronc, atteint la première branche, s'étire pour en agripper une plus haute... Pendant ce temps, je continue à descendre.

À mi-hauteur, on se rejoint sur une branche solide. Mon cœur joue du tambour. J'ai encore le vertige. Mais moins...

D'ici, je peux voir Sam endormi à côté de Dédale au pied de l'arbre. La petite crête sur leur dos se soulève doucement au rythme de leur respiration.

— Lili...

Je me tourne vers Léo. *Il est ému.* Moi aussi. C'est normal avec tout ce qui nous est arrivé.

Une grosse boule s'est formée dans ma gorge. On dirait que j'ai avalé une grenouille ! Alors, comme je n'arrive pas à parler, je m'approche un peu de Léo et je dépose un *bisou* sur sa joue.

C'est ma façon de lui dire que je me trouve chanceuse d'avoir le meilleur ami du monde.

CHAPITRE 3

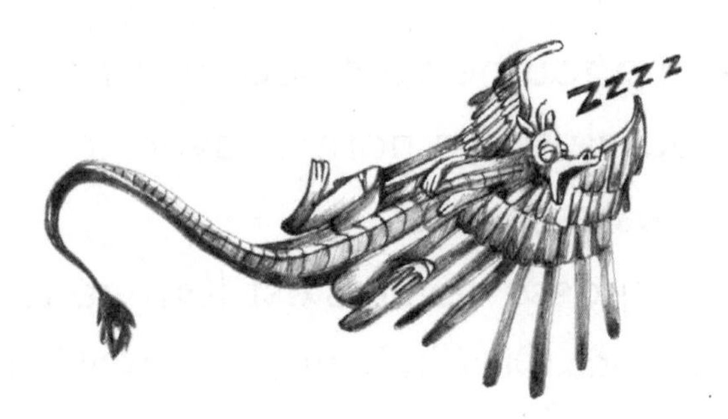

Macaronis, gâteaux, pizza...

Roulé en boule sous une fougère de la taille d'un parasol, Sam ronfle, en émettant des bruits de vieille tondeuse. Dédale est encore plus crampant. Étendu sur le dos, les quatre pattes en l'air et la gueule grande ouverte, il

siffle et souffle en crachant de minuscules **gerbes d'étincelles**.

Nos dragons font fuir tous les oiseaux.

Léo a subi un atterrissage brutal. Il a les genoux en sang et des éraflures un peu partout.

—On devrait nettoyer tes blessures, Léo.

Mon ami se gratte l'épaule. Trois fois. Je fais pareil pour lui signifier que mes pensées *filent* dans la même direction. Nous devons absolument trouver de l'eau. Et pas seulement pour se laver. *Pour boire, surtout !*

Dans ma tête, je résume la situation :

1. Nous sommes seuls dans la forêt tropicale avec la responsabilité de deux

dragons qui sont des enfants ou des adolescents, on n'est plus trop sûrs ;

2. L'armée d'Ernesto est sûrement à nos trousses ;
3. On ne peut compter sur aucune aide.

Même si un hélicoptère survolait la forêt, personne ne nous repérerait tellement les arbres et les autres végétaux forment une couverture épaisse au-dessus de nous.

— Le plus urgent, c'est de trouver de l'eau potable, déclare Léo.

Je ravale ma salive pendant que Léo précise que si on ne boit pas d'eau d'ici 72 heures, c'est bien simple, on mourra.

—On finira bien par tomber sur un ruisseau, ajoute-t-il pour me **rassurer**. Demain…

Une douce lumière de plus en plus faible filtre à travers les feuillages et les branchages. Le jour tombe. Il est trop tard pour explorer la forêt. Je propose qu'on se prépare pour la nuit en laissant nos dragons dormir afin qu'ils soient en forme demain.

—Très bonne idée, Lili. La température risque de chuter. Ramassons tout ce qu'on peut trouver pour nous protéger du froid.

Pendant que Sam et Dédale jouent à la **Belle au bois dormant**, Léo et moi éparpillons des branches, des feuilles, de la mousse et des fougères sur eux. Puis, on se creuse un nid douillet entre les dragons en ramenant un peu de couverture végétale sur nous.

La forêt s'est **assombrie**. J'ai très soif et je meurs de faim.

J'avalerais volontiers :

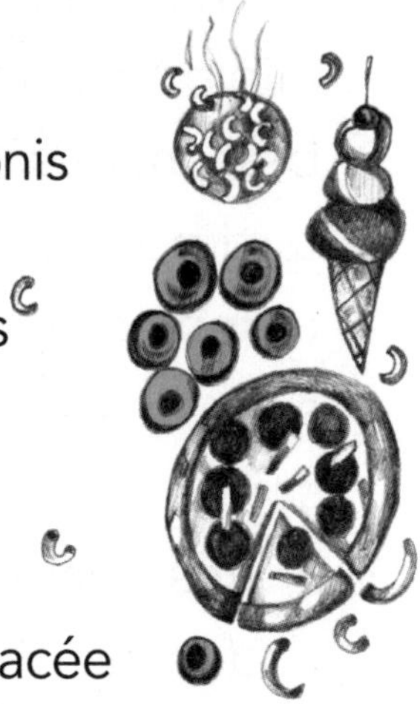

* un gros bol de macaronis au fromage fumant,
* une douzaine de petits gâteaux au caramel,
* une pizza toute garnie avec des tas d'extras,
* un cornet de crème glacée trempée dans du chocolat,
* un sandwich douze étages avec…

Il faut que j'arrête de manger dans ma tête. *Penser à de la nourriture me donne encore plus faim.*

Malgré tout, on est plutôt bien. L'air sent la mousse tiède, la terre mouillée,

la fougère et un petit je-ne-sais-quoi de délicieusement sucré.

— Bonne nuit, Léo.

Mon ami ne répond pas, il dort déjà. Alors, comme lui, je me laisse doucement glisser dans les bras de la nuit.

Il fait presque aussi noir que dans la gueule d'un loup. Quelque chose ou quelqu'un m'a réveillée.

Les dragons ne ronflent plus. Un tas de petits bruits peuplent la forêt. Des pépiements, des chuintements, des craquements sourds et des cris aigus.

Y a-t-il des lions, des tigres et des panthères, par ici ? Amélie Meyeur, mon ex-pire ennemie, a déjà fait une présentation orale sur la Nouvelle-Zélande en classe. De mémoire, elle n'a pas parlé de grands fauves. Ni de serpents. Mais rien n'est sûr.

Ce que je sais, par contre, c'est qu'une créature vivante, qui n'est pas minuscule du tout, trotte autour de moi. Je l'entends clairement. Tout près!

En tournant légèrement la tête, j'aperçois... une poule!

Non... C'est gros comme une poule, mais avec de longues plumes, un grand bec maigre et une démarche de clown.

Un rire nerveux jaillit de ma bouche.

—Chuuuuuuttttt! souffle Léo, lui aussi occupé à épier l'étrange oiseau.

Trop tard. La bête apeurée fuit en se dandinant de façon comique, ses courtes pattes munies de longs doigts ne lui permettant pas d'avancer plus vite.

Léo a les yeux aussi ronds que s'il venait de rencontrer Mickey Mann, la vedette des *Bigger Best*, son groupe préféré.

— Un kiwi! souffle-t-il, l'air toujours aussi halluciné.

Pauvre Léo. Il a tellement faim qu'il déraille. Si je pouvais, je lui offrirais un plein panier de kiwis. Personnellement, je n'aime pas tellement ces fruits poilus, mais chacun ses goûts.

— Un ki-wi! répète Léo.

C'est ce que je pensais. La faim le rend *idiot*.

— Lili ! Nous avons VU un KIWI.

Le verdict est clair : mon ami est fou raide. Pourtant, il n'a pas l'air si…

— Réalises-tu notre chance, Lili ? Le kiwi est un animal en voie d'extinction. Des gens qui vivent ici depuis toujours n'en ont jamais vu. Et nous, sitôt arrivés, on en croise un. Tout près !

J'éclate de rire en constatant que Léo ne parlait pas d'un fruit, mais d'un oiseau, le kiwi. Ça me revient. Amélie en avait parlé dans sa présentation… Le kiwi est la mascotte de la Nouvelle-Zélande. En Australie, juste à côté, c'est le kangourou. J'aurais dû y penser !

— C'est bon signe, soutient Léo, un grand sourire aux lèvres. La chance est avec nous.

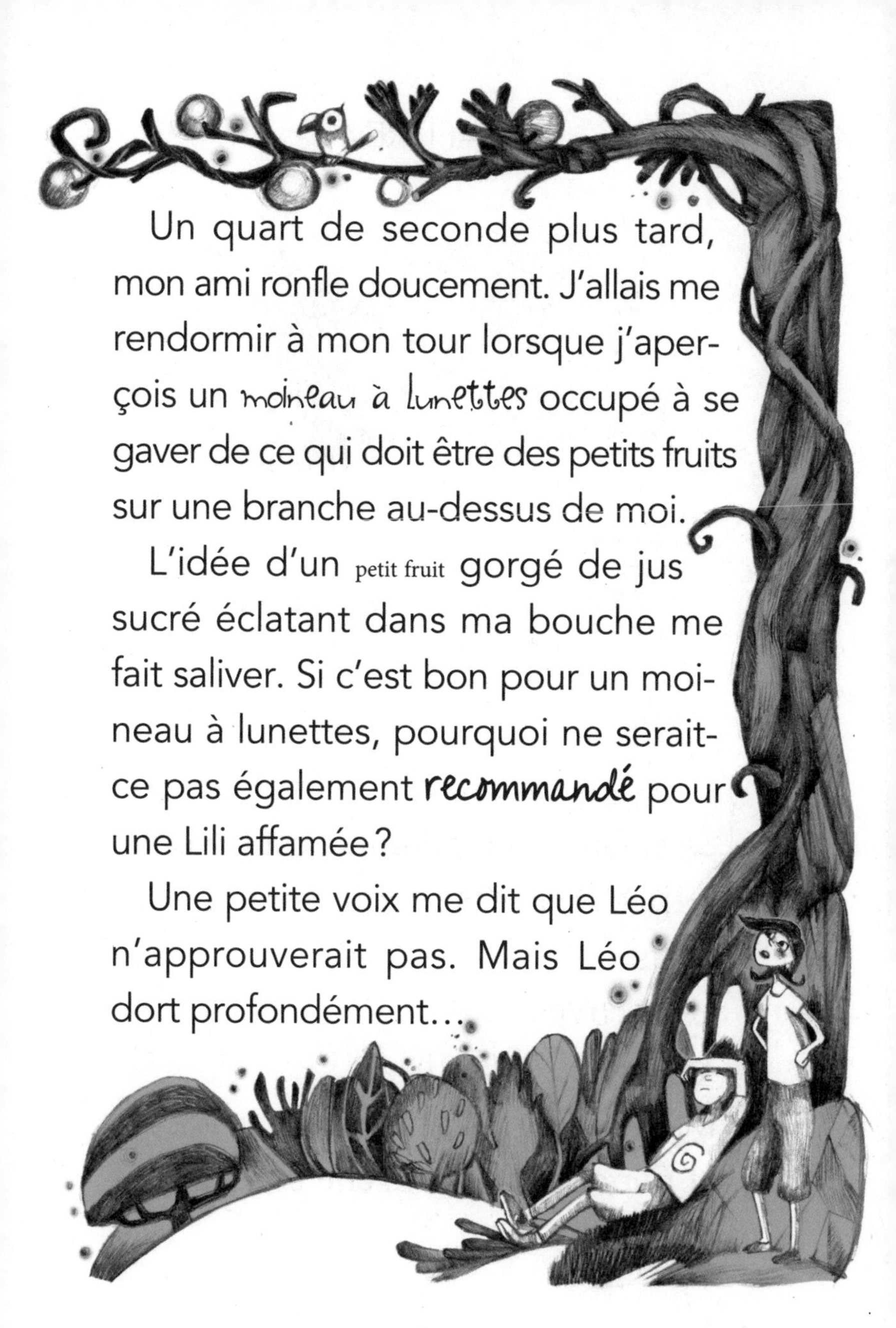

Un quart de seconde plus tard, mon ami ronfle doucement. J'allais me rendormir à mon tour lorsque j'aperçois un moineau à lunettes occupé à se gaver de ce qui doit être des petits fruits sur une branche au-dessus de moi.

L'idée d'un petit fruit gorgé de jus sucré éclatant dans ma bouche me fait saliver. Si c'est bon pour un moineau à lunettes, pourquoi ne serait-ce pas également recommandé pour une Lili affamée ?

Une petite voix me dit que Léo n'approuverait pas. Mais Léo dort profondément…

CHAPITRE 4

Tête de nouille !

La plus grosse différence entre un enfant et un parent, c'est l'in-quiétude ! Les parents s'inquiètent. Pas les enfants.

La preuve ?

Sam et Dédale !

Même si leur vie est en danger, ils courent partout et s'amusent comme des fous.

Nos dragons ne se contentent pas de *cavaler* entre les arbres et les fougères. Ils jouent à la cachette ! Et Dédale est le champion. Il se cache, attend que son ami parte à sa recherche, et lorsque Sam est tout près, il bondit. Chaque fois, Sam sursaute en poussant des cris de souris géante. Dédale produit alors un son qui **écorche** les oreilles et correspond à un rire de dragon fier de lui.

— Quand les dragons auront couru longtemps, ils auront soif, n'est-ce pas, Léo ?

— Excellente déduction ! Un vrai détective, répond Léo, moqueur.

— On n'aura qu'à les suivre pour trouver de l'eau.

Le sourire de Léo me confirme que mon petit plan n'est pas fou du tout. On attend un peu et au bout d'une heure environ, nos dragons meurent de soif.

Sam se plante devant nous, haletant, la langue pendante.

— Trouve de l'eau, Sam. De l'eau, commande Léo.

On oublie parfois que, même s'ils sont des enfants et qu'ils ne parlent pas (ou à peine, dans le cas de Sam), les dragons comprennent presque tout. **La preuve?** Sam donne un petit coup de queue à Dédale et ils s'élancent au grand galop.

— Attendez-nous! crie Léo.

Courir dans la forêt tropicale, c'est beaucoup plus difficile que sur une

piste d'entraînement ou un terrain de soccer. Léo s'accroche un pied dans une racine, puis s'écrase de tout son long. Lorsqu'il se relève, le visage barbouillé de boue, j'éclate de rire. Mais trois secondes plus tard, c'est à mon tour de piquer du nez et de me retrouver avec une grosse motte de mousse dans la bouche.

Beurk!
Pouah!
Beurk!

Lorsqu'on rejoint enfin Sam et Dédale, ils sont déjà occupés à se désaltérer dans un bassin d'eau… brune et verte. Je n'ai jamais vu une source d'eau aussi clairement peu potable.

— Arrêtez! ordonne Léo, arrivé le premier.

Sam et Dédale nous observent, étonnés. Des algues vertes pendent de chaque côté de leur gueule. Ils semblent se *délecter*!

Soudainement, alors que je n'ai pas bu une seule goutte de cette eau infecte, j'éprouve un **haut-le-cœur** abominable.

—Lili! Qu'est-ce qui se passe? Tu es pâle comme un fantôme…

—Je… je … ne me…

—LILI!!!

Sam me lèche le front et Dédale me lèche les mains. Léo est penché sur moi, le nez presque collé sur mon visage.

Je me sens *molle* comme un chiffon, j'ai la tête qui tourne, j'ai envie de **vomir** et je vois Léo en double. La voix de mon ami **résonne** à mes oreilles :

— Qu'est-ce qui t'arrive, Lili ? Dis-moi…

Dans le brouillard de ma petite cervelle, les mots se mélangent. De toute façon, je n'ai pas la force de répondre.

Suis-je en train de mourir ? Je n'ai pas été privée d'eau si longtemps que ça, pourtant. *À moins que j'aie perdu la notion du temps ?*

Léo disparaît sous mes yeux alors que je bascule dans un sommeil comateux.

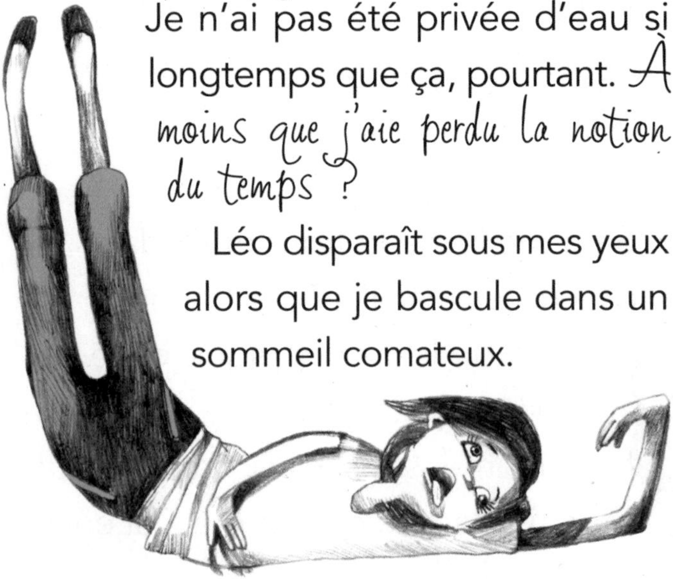

— LILI! Réveille-toi… Fais un effort…

J'ouvre les paupières. Trois paires d'yeux me dévisagent. Léo… Sam… Dé… Je me rendors.

Des bras me secouent. Léo crie dans mes oreilles. J'essaie de comprendre ce qu'il dit.

— Lili! Tu as parlé de petits fruits dans ton sommeil. Dis-moi la vérité! As-tu mangé des petits fruits?

Je m'entends répondre:

— Oui… encore… des… petits fruits… sucrés…

— TÊTE DE NOUILLE, LILI LABRIE!

Léo ne se met pas en colère souvent. Je me demande ce qui lui…

— AAAAAAAAAHHHHH !

Une couleuvre se tortille sur mon visage. Je l'attrape d'une main et la lance au loin. Une autre glisse sur mon cou. Je lui réserve le même traitement. Quel courage ! Bravo, Lili Labrie.

— Bravo, Lili ! Tu es réveillée. Enfin ! s'exclame Léo.

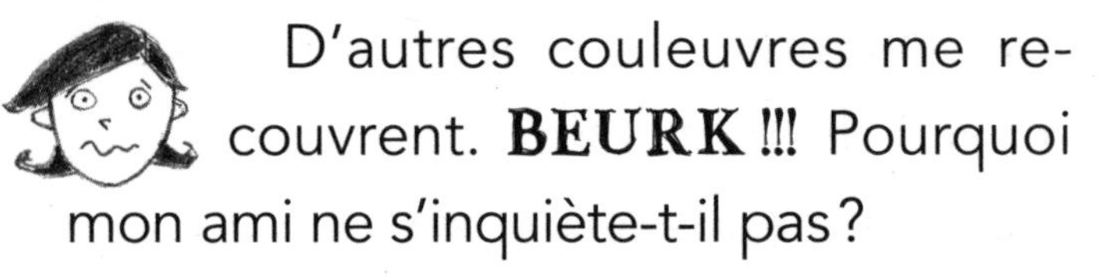

D'autres couleuvres me recouvrent. **BEURK** !!! Pourquoi mon ami ne s'inquiète-t-il pas ?

Je me relève en m'appuyant sur un coude. Ce ne sont pas des couleuvres, mais des algues visqueuses.

— Tu as eu beaucoup de **fièvre**, Lili, explique Léo d'une voix que je ne lui reconnais pas. J'ai utilisé des algues pour te rafraîchir. Tu as dormi un jour complet et une nuit aussi.

Tout me revient maintenant. La forêt, le manque d'eau... Les petits fruits.

—Tu t'es empoisonnée, Lili. J'ai eu peur que tu meures.

J'ai soudain très, très, beaucoup envie de hurler un mot. Un seul.

MAAAAMAAAN!

Et dire que c'est MOI, la maman. De Sam. Et un peu de Dédale. Et je suis l'amie de Léo. Et je ne fais que lui causer des problèmes.

—Tout va bien, Lili, murmure mon ami d'un ton pas du tout convaincant.

Je réalise alors que Léo n'a rien bu ni mangé depuis deux jours. Malgré ça, il s'est occupé de moi. Il m'a veillée, soignée, accompagnée...

Pauvre Léo. Il doit être épuisé.

— Qu'est-ce qui va nous arriver, Léo ?

— Les dragons vont bien, répond-il en évitant la question.

— Mais nous, on va mourir si on ne trouve pas à boire ni à manger.

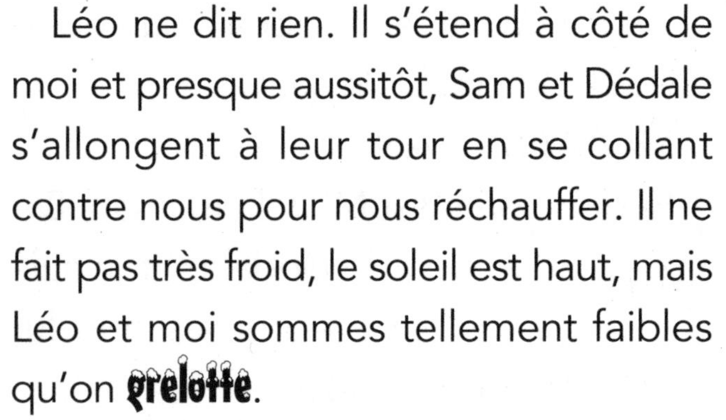

Léo ne dit rien. Il s'étend à côté de moi et presque aussitôt, Sam et Dédale s'allongent à leur tour en se collant contre nous pour nous réchauffer. Il ne fait pas très froid, le soleil est haut, mais Léo et moi sommes tellement faibles qu'on grelotte.

— Léo ?

— Oui, Lili.

— Tu te souviens des proverbes qu'on devait apprendre par cœur l'année dernière ?

— Un peu…

— Il y en avait un… C'était… *Qui dort mange*, je crois.

— Non, Lili. *Qui dort dîne.*

Léo Lauzon a toujours raison. C'est normal. Mon ami est un *génie*. Même lorsqu'il est complètement à plat.

CHAPITRE 5

Du dinosaure cru

Un géant m'a soulevée de terre. Il court dans la forêt. Ma tête cogne contre sa poitrine. *Je dois rêver...*

Des arbres dont les hautes branches se perdent dans le ciel défilent au-dessus de moi et des oiseaux fuient à notre approche.

Si c'est un rêve, tout semble très vrai.

Je m'étire le cou et... je reconnais le géant. Momo! Le frère de cette crapule d'Ernesto. Momo!

Notre gentil gardien géant.

J'ai encore mal au cœur et je ne suis pas dans mon état normal, mais mon esprit est plus clair. Je ne rêve pas !

Momo s'arrête. Les arbres ont disparu. Mon bon géant se penche et, avec autant de délicatesse que si j'étais une princesse de conte de fées ou un tout petit bébé, il me dépose sur le sol.

—Attends-moi, je reviens! lance-t-il avant de repartir au pas de course.

Sam et Dédale en profitent. Ils se jettent sur moi pour me lécher de la tête aux pieds comme si j'étais un cornet de **crème glacée**.

Le paysage s'est transformé. J'aperçois la forêt tropicale un peu plus loin, mais là où Momo m'a laissée, il n'y a que du ciel, des collines herbues, des fleurs et… un ruisseau qui chante.

Quand on a super soif, le son du ruisseau, c'est aussi joli qu'une chanson. D'ailleurs, je donnerais ce que j'ai de plus précieux:

* ma vieille girafe en peluche,
* les boucles d'oreilles que mamie Berthe m'a offertes quand j'étais en maternelle,
* le blouson que j'ai reçu à ma fête…

Je donnerais tout ça en échange d'une seule gorgée d'eau. Malheureusement, les stupides petits fruits même pas si bons que j'ai avalés m'ont rendue tellement **malade** que je n'ai pas la force de ramper jusqu'au cours d'eau.

Momo ramène Léo, puis il m'aide à atteindre le ruisseau.

— Buvez lentement, nous conseille-t-il.

C'est facile à dire ! Si je m'écoutais, j'avalerais tout le ruisseau. Léo boit comme moi, allongé sur le ventre, la tête plongée directement dans l'eau. Pour la première fois de ma vie, je remarque que l'eau a un goût. Un goût exquis !

— J'ai tellement faim que j'avalerais un dinosaure. Cru ou cuit ! lâche Léo en se relevant.

Moi aussi ! Mais il n'y a rien à manger ici. *Combien de temps peut-on vivre en avalant juste de l'eau ?*

Momo sourit de toutes ses dents. Du coup, on voit qu'il en manque beaucoup. Sa bouche est pleine de trous.

— J'ai apporté des petites choses pour vous, annonce Momo.

De fabuleux trésors sortent des poches de notre ami géant :

- des dattes fraîches,
- des noix,
- des raisins secs,
- du saucisson,
- des tranches de banane déshydratée.

Pendant qu'on se régale sans trop se **goinfrer** pour ne pas épuiser nos réserves, Momo nous contemple d'un regard affectueux.

—Vous êtes-vous évadé du *château*? lui demande Léo.

Momo rougit jusqu'au bout de ses grosses oreilles un peu décollées. La réponse est claire: oui!

Je poursuis l'interrogatoire:

—Ernesto vous a-t-il maltraité?

—Non, répond Momo avec un petit sourire coupable. Il a peur de moi maintenant. Il sait que je peux me fâcher…

—Vous avez bien fait de le quitter, déclare Léo.

Momo fait oui de la tête en prenant un air piteux.

—Je ne serais pas parti… parce que même s'il est... méchant… c'est mon

frère... Nous avons traversé beaucoup d'épreuves ensemble.

Le regard de notre gentil géant *s'évade* alors qu'il revisite des souvenirs secrets.

—Je suis parti à cause de vous, lâche-t-il finalement. Sylvain m'a demandé de vous aider.

—Parce qu'on est nuls pour survivre en forêt? demande Léo, un peu honteux à son tour.

—Oui, admet Momo. Et parce qu'il se brasse pas mal d'affaires au château...

Sam et Dédale cessent de se pourchasser afin d'écouter Momo.

—**L'armée des Dragonniers** continue de grossir, explique notre ami géant. Mais Sylvain et ses complices essaient

d'obtenir l'aide des soldats d'Ernesto Armaturo et de Sophie Saphir.
— Comment ? interroge Léo.
— En leur expliquant l'importance de la mission du *Cercle Lancelot*, répond Momo. Ils ont fait pareil avec moi.

Léo hoche la tête pour encourager Momo à poursuivre.
— Sylvain réussit à communiquer avec son chef, un homme que je ne connais pas, ajoute le gentil géant.

À ces mots, je m'écrie :
— C'est mon parrain ! Thibert Thibodeau. Un des membres les plus importants du Cercle Lancelot.
— Thibert est donc en lieu sûr, conclut Léo. Il va nous sortir de ce **pétrin**.

Momo se racle la gorge. Il veut ajouter quelque chose.

— Sylvain m'a chargé de vous transmettre un message…

Le ton de sa voix me fait craindre le **pire**. Momo s'applique pour bien retrouver les mots qu'il doit nous transmettre.

— Vous devez apprendre à survivre en forêt… veiller à l'éducation des dragons… et vous préparer à une attaque d'Ernesto.

— Rien que ça?! s'exclame Léo. Sylvain voudrait peut-être qu'on lui cuisine une petite tarte aux pommes en même temps?

CHAPITRE 6

Kaka et kakapo

Je pensais que les mathématiques étaient la matière la plus difficile au monde. J'ai découvert pire : **les techniques de survie!**

Momo nous sert de **professeur** puisque c'est un expert en la matière. Ernesto et lui ont vécu seuls dans la forêt tropicale quand ils étaient tout petits. L'histoire vraie d'Ernesto et de

Momo ressemble à celle du Petit Poucet abandonné dans la forêt par ses parents.

Momo dit qu'à cette époque, Ernesto s'est beaucoup occupé de son petit frère (qui était déjà physiquement plus grand que lui).

— Sans lui, je serais mort, nous confie Momo.

Surprise, je veux en savoir davantage.

— Comment est-il devenu aussi **cruel** ?

Momo ne me répond pas. Je devine qu'il s'est passé quelque chose de très grave. Et j'aimerais bien savoir quoi !

Pendant toute la journée, nous pratiquons des habiletés de survie. Dans le genre :

* trouver une cachette efficace,
* identifier les petits fruits comestibles,
* grimper aux arbres,
* reconnaître les différents bruits.

Des petits fruits qui ont l'air jumeaux ne le sont pas du tout. On en mange un et tout va bien. On choisit l'autre et on meurt **empoisonné**!

Je comprends l'importance des cachettes, des grimpettes et des petits fruits… mais pas des bruits. Momo réussit à nous convaincre qu'il faut absolument savoir les distinguer. Aussi bien pour chasser que pour détecter un **danger**.

Après, on passe au moins deux heures, Léo et moi, allongés sur le sol, à essayer de deviner l'origine des sons. Les forêts dissimulent de véritables orchestres !

Les arbres gémissent et craquent, des insectes produisent des sons étonnants, des petites bêtes trottent en émettant des bruits particuliers, les feuilles frémissent sous le vent... Sans compter tous les oiseaux qui poussent des cris et chantent d'un milliard de façons différentes.

— La Nouvelle-Zélande, c'est l'île aux oiseaux, raconte Momo. Avant l'arrivée d'autres espèces, ils étaient en sécurité ici.

— C'est pour ça que le kiwi ne vole pas, laisse tomber Léo.

Mon ami m'étourdit avec ses déductions. Son cerveau fonctionne un peu trop rapidement.

— Quel est le lien, Léo ?

— Les oiseaux volent pour échapper à leurs prédateurs, explique-t-il. Lorsqu'il n'y a pas de prédateurs, ils arrêtent de voler et au bout de quelques générations, ils ont totalement oublié à quoi servent leurs ailes.

Léo parle peut-être comme un professeur d'université, mais je suis meilleure que lui pour identifier les cris d'oiseaux. En Nouvelle-Zélande, ces petites bêtes ont des noms exotiques comme **kiwi, kéa, kakapo ou kaka.**

Même si son nom ressemble à une blague, le kaka est un vrai perroquet, moins drôle que le kakapo. Lui, c'est le plus comique des oiseaux d'ici. Il est le seul perroquet au monde qui ne sait pas voler. C'est aussi le plus rare, le plus lourd et le plus gaffeur. Il lui arrive souvent de tomber de l'arbre où il a grimpé en plein repas.

Sam et Dédale sont doués en techniques de survie. Quelques coups d'aile leur suffisent pour atteindre la plus haute branche d'un arbre. De plus, ils mangent et boivent n'importe quoi sans tomber malades.

Mais la cerise sur le sundae, c'est leur talent pour le camouflage. Momo

nous donne comme exercice de trouver chacun la meilleure cachette possible.
— C'est la règle numéro 1 pour échapper au danger, affirme-t-il.

Je pensais que trouver une cachette était facile. Faux! Momo me repère rapidement. J'étais pourtant bien enfouie sous un gros tas de feuilles de fougères.
— Les fougères ne poussent pas comme ça. J'ai tout de suite vu que tu t'étais construit un abri, m'explique notre gentil géant.

Léo réussit à grimper dans un arbre. Mais peu après, il fait comme le kakapo. Il tombe… juste devant Momo!
— Tu dois développer ta force et ton équilibre, lui conseille notre ami géant.

Il nous reste à trouver Sam et Dédale. Nous les cherchons et cherchons et cherchons... Momo leur a pourtant interdit d'utiliser leurs ailes parce que ce serait trop facile. À mon avis, Momo craint aussi que l'armée d'Ernesto ne les repère.

Au bout de je ne sais combien d'heures de recherche, Léo-le-génie suggère qu'on arrête de chercher pour réfléchir un peu.

— La question est simple : où peuvent-ils être ? résume-t-il.

— J'ai bien peur qu'ils n'aient disparu, s'inquiète Momo.

Ma réponse fuse :

— Impossible. Nos dragons sont trop vieux. Ils ont perdu leur pouvoir d'invisibilité.

On réfléchit, et réfléchit, et réflé...

— Dans l'eau ! s'écrie Léo en s'élançant vers la petite mare d'eau brune et verte découverte la veille.

Une fois arrivée, je trouve le bassin encore plus **dégoûtant** que la veille.

— Qui veut plonger pour aller voir s'ils sont là ? demande **Léo-le-sarcastique**.

Je crie :

— SAAAAAAM !

DÉÉÉÉDAAAALLLLLLLE !

Presque aussitôt, quatre oreilles, puis deux museaux et deux longs cous émergent de l'eau.

— Nos dragons peuvent voler comme les oiseaux et respirer comme des poissons ! se réjouit Léo.

C'est à ce moment-là que j'éprouve une impression particulière. Une sorte de… pressentiment ! Je devine que ce nouveau don des dragons va jouer un rôle important un jour.

Très bientôt ou beaucoup plus tard. Mon pressentiment ne le précise pas.

CHAPITRE 7

Monstre ou je-ne-sais-quoi

Ce soir, nous dormons comme des tro-glo-dytes. Le mot, bien sûr, vient du vocabulaire de Léo.

Les troglodytes sont des gens qui vivaient il y a très longtemps dans des cavités naturelles, des trous, des grottes ou des cavernes.

Nos dragons nous ont aidés à creuser le sol au pied d'une colline sablonneuse. L'abri est juste assez grand pour qu'on s'y entasse tous les quatre. Momo préfère dormir à la belle étoile. Léo pense que c'est pour mieux entendre tous les bruits.

Sam et Dédale sont tout contents parce que Momo leur permet de cracher de petites flammes pour allumer un feu de branches dans la clairière en bordure de la forêt.

— Un feu pourrait signaler notre présence, proteste Léo.

Il a raison. Les soldats d'Ernesto sont sans aucun doute à notre recherche. Et surtout… à la recherche des dragons!

Momo nous rassure.

— Le ciel est rempli de nuages et les arbres de la forêt sont assez hauts pour cacher la fumée d'un petit feu.

Nos pigeons grillent sur le feu. Dédale en a tué un et Momo deux ! Sam a refusé de participer à la chasse. Lorsqu'il était tout petit, on lui a INTERDIT de tuer des oiseaux. Il ne comprend pas pourquoi, soudain, ce serait permis.

L'idée de mordre dans une patte de pigeon ne m'emballe pas.

— C'est comme du poulet ! m'encourage Léo.

Je ne suis pas d'accord. Le poulet, il arrive tout mort. Et déplumé. C'est mon père ou ma mère qui le fait cuire. Ces pigeons-là, je les ai vus voler. L'un d'eux est mort écrasé par une patte de dragon, et les deux autres frappés par une pierre.

Momo a tenu à nous enseigner comment préparer les **petits cadavres** avant de les faire cuire. J'ai failli tomber sans connaissance. Léo a dû terminer la leçon sans moi.

Les pigeons dégagent une odeur pas du tout désagréable qui excite malgré tout mon appétit. J'espère réussir à avaler quelques bouchées parce que les noix et les raisins secs me laissent un grand trou dans l'estomac.

J'ai FAIM !!!

— J'en dévorerais une douzaine ! déclare Léo, en se léchant les babines.

Un vrai homme des cavernes !

Sam et Dédale somnolent près du feu, épuisés après avoir gambadé en forêt toute la journée. Ils se fichent royalement des pigeons. Les dragons sont végétariens. Encore un avantage pour la survie. Il leur suffit d'étirer le cou pour trouver un garde-manger.

— Lili…
— Oui, Léo, je le sais : tu es affamé. Mais les pigeons ne sont pas encore prêts.
— Non… Ce n'est pas ça…
Mon ami semble inquiet.
— Où est Momo ? demande-t-il.
— Il était là… juste ici…, dis-je en me retournant, surprise de constater qu'il n'y est plus.

Le soleil s'apprête à tomber derrière les collines. Dans quelques minutes, il va faire noir. Et Momo est INTROUVABLE.

— Qu'est-ce qu'on fait? demande Léo. S'il était dans la clairière, on le verrait, non?

— Il doit être retourné dans la forêt.

Léo se gratte l'épaule trois fois. Je fais pareil. On se pose la même question en même temps: POURQUOI?

Pourquoi Momo nous a-t-il quittés sans rien dire? Et surtout: va-t-il revenir?

— Il a dû soupçonner un **danger**. Alors, il a suivi une piste jusqu'à la forêt. Et là... il lui est sûrement arrivé quelque chose.

— Tu inventes un roman, Lili Labrie, dit Léo en essayant de prendre un ton léger.

Même s'il tente de le cacher, mon ami se fait du **mauvais sang** lui aussi.

Je réfléchis à *toute vitesse*. Momo est peut-être en danger. Si Léo et moi étions en danger, Momo volerait à notre secours. Il faut faire pareil pour lui ! J'attrape deux branches près du feu et je les allume pour nous fabriquer des flambeaux.

— Viens, Léo ! Suis-moi…

Sam lève la tête et nous interroge de son beau regard brillant.

— Reste avec Dédale, Sam, dis-je. Ne bouge pas. On revient bientôt.

Notre dragon hésite.

— Tout va bien, le rassure Léo.

Sam bâille un peu avant de retomber mollement pour se blottir contre son ami Dédale.

Nos flambeaux **éclairent** faiblement la sombre forêt animée d'une agitation secrète. C'est bon de savoir reconnaître les cris d'oiseaux, le grincement des branches et le frémissement des plantes piétinées par de minuscules créatures.

Je suis fière de mon ami et de moi. Nous sommes de vrais ***enfants chevaliers*** sans peur et sans reproche. Parents de dragons en plus! À douze ans, Lili Labrie et Léo Lauzon se promènent seuls dans une forêt tropicale **obscure** à l'autre bout de la planète. Ils se préparent à secourir le gentil géant qui les a aidés à échapper aux griffes du féroce Ernesto Armaturo, le chef des dangereux Dragonniers.

Quand j'y pense, je nous trouve vraiment bons. J'aimerais ça que nos parents nous voient. Et tous les élèves de notre classe aussi. Surtout Fabula Bulova, qui se prend toujours pour le nombril du monde.

Léo me suit. Tous nos sens sont en alerte. À chaque nouveau bruit, mon cœur fait quand même un petit tour d'ascenseur.

— Aïe ! Ouch !

Une branche a griffé mon visage. Du coup, j'ai failli lâcher mon flambeau. Je me frotte un peu la joue en me retournant pour voir Léo. Il s'est arrêté à une dizaine de pas derrière moi, les yeux agrandis et ronds comme des roues de camion.

Je l'interroge du regard. Il reste figé, aux aguets, comme s'il devinait un danger.

J'ai peur tout à coup. Je voudrais que Momo soit là. Et Sam. Et Dédale. Et mes parents…

Une ombre surgit derrière mon meilleur ami. **Une ombre immense.** Léo lit la panique sur mon visage. Il se retourne… et l'ombre fond sur lui.

Ce qui se produit alors est difficile à décrire. L'ombre… ou le monstre… ou le *je-ne-sais-quoi* disparaît aussi vite qu'il est apparu.

Sans bruit.

Léo gît sur le sol, complètement sonné, son flambeau éteint à ses côtés. **Mon ami** n'est pas blessé, mais de vieilles égratignures ont recommencé à saigner.

— Qu'est-ce qui s'est passé ? demande Léo en se relevant péniblement.

— J'en ai *zéro idée*.

CHAPITRE 8

L'art d'Okinawa

— J'ai essayé de me dé... défendre, bégaie Léo encore sous le choc. J'ai ... j'ai fait ... comme ça...

Un poing en l'air, une jambe en extension, Léo nous offre une démonstration de sa technique pour attaquer l'ennemi.

Ce n'est pas mal du tout. Mais ça n'a pas fonctionné.

— C'est comme si j'avais frappé un mur de ciment, raconte mon ami. PAF ! L'impact m'a jeté à terre.

Momo écoute en silence. À notre retour dans la clairière, il était tranquillement assis près du feu en compagnie des dragons.

— Je me suis juste éloigné un peu, s'est-il excusé en rougissant jusqu'au bout de ses grandes oreilles.

Tout s'est passé tellement vite que nous étions de retour avant que les pigeons ne soient calcinés.

D'ailleurs, Léo s'empiffre. Les émotions lui ont ouvert l'appétit. Moi, c'est le contraire. J'ai l'estomac de travers. Je me contente de grignoter un morceau de viande du bout des dents.

Sam vient se coller contre ma cuisse. Ça me fait plaisir. Je devenais un peu jalouse de Dédale. En retour, je gratouille la fourrure entre les deux oreilles de Sam. Il réagit en ronronnant comme un chat.

J'allais m'assoupir devant le feu lorsque Momo prend la parole.

— C'était moi, admet-il tout à coup.

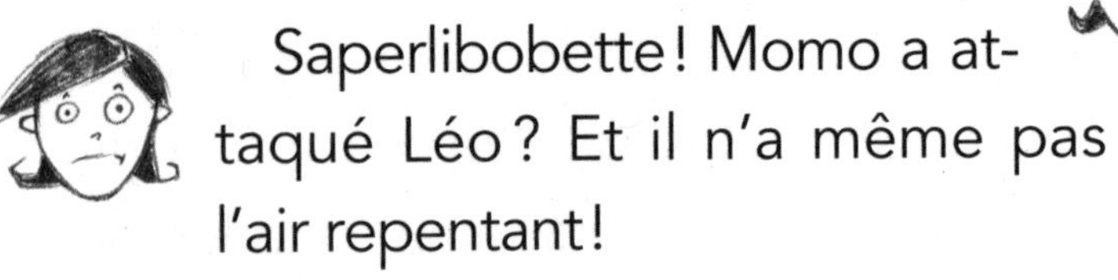

Saperlibobette! Momo a attaqué Léo? Et il n'a même pas l'air repentant!

— Je m'en doutais! fulmine Léo en lui lançant un **regard noir foncé**.

À mon tour de m'exclamer:

— Pourquoi as-tu fait ça, Momo?

— Pour vous préparer à la journée de demain, explique gentiment notre ami géant. J'ai promis de vous apprendre à vous *défendre*...

—Wow! Tu vas nous enseigner des techniques de combat? demande Léo en bondissant sur ses jambes, les yeux déjà brillants d'excitation.

Momo nous observe calmement. Je suis frappée par la *douceur* de son bon regard de caramel doré.

—Vous allez apprendre à survivre sans vous battre, répond-il. Je vais vous enseigner à devenir un *bouclier*.

Momo n'en dit pas plus. On se retrouve un peu plus tard, Léo et moi, allongés sur le sol de notre abri, bien au chaud entre Sam et Dédale. Momo veut qu'on dorme tôt pour être en forme demain, mais je n'arrive pas à trouver le sommeil.

— Léooooo...

— Ouiiii, Lili...

— As-tu réalisé que si Ernesto nous trouve, il ne se contentera pas de nous enfermer dans un cachot, cette fois-ci...

Après un assez long silence, Léo répond:

— N'y pense pas, Lili.

C'est ce que je redoutais. Léo est aussi angoissé que moi. Il SAIT qu'on est en danger. C'est pour ça que Momo doit nous enseigner l'autodéfense. Parce qu'Ernesto, Dimitri, Sophie Saphir, Spartacus et tous les soldats de leur armée vont nous attaquer. C'est sûr!

L'intention de Momo est bonne, mais qu'est-ce que deux enfants peuvent bien faire contre ces **crapules armées jusqu'aux dents** ?

Je sens que je vais passer la nuit à inventer des scénarios de films d'épouvante.

Ça y est… Ça commence…

J'imagine Léo ligoté sur une table. Armé d'une scie monstrueuse, Ernesto Armaturo s'apprête à couper mon meilleur ami en tranches de gâteau. Une odeur étrange envahit mes narines. En me retournant, j'aperçois Sam et Dédale. Ils rôtissent sur une broche au-dessus d'un feu de braise. *Et ils sont encore vivants* !

AU SECOOOOOUUUUURS !

Professeur Momo n'attend même pas la fin de notre repas du matin.

— Prépare-toi, Lili, je vais **t'attaquer** ! lance-t-il.

J'ai à peine le temps d'avaler les petits fruits dans ma bouche que Momo se jette sur moi. Aussitôt, mon brave Sam se rue sur Momo pour me défendre… et s'écroule sur le sol.

Pauvre Sam. On peut dire qu'il a frappé un mur! Momo le rassure en le *caressant* abondamment.

— Qu'est-ce qui vient d'arriver? interroge Momo.

— Tu as positionné tes bras comme ça…, répond Léo en imitant ses gestes.

Notre professeur ne semble pas impressionné par la réponse de Léo. C'est rare!

YAAAAAA

Mais je pense comprendre pourquoi.

—Tu as transformé ton corps en bouclier! dis-je plutôt.

—Bravo, Lili! me félicite Momo en frottant ma tête d'une main géante.

Momo nous explique alors les techniques de base d'une très ancienne discipline d'autodéfense: l'art d'Okinawa.

—Au lieu d'attaquer ton agresseur, tu dois le repousser, explique notre ami.

Léo semble déçu. Je pense qu'il aurait préféré apprendre à se battre.

Momo dit que les champions d'Okinawa sont de vrais athlètes. Ils sont musclés, agiles et rusés. Les meilleurs n'ont AUCUN contact physique avec l'attaquant.

— Ils évitent les coups en distrayant l'adversaire, en fuyant ou en se cachant. S'ils n'y arrivent pas, ils utilisent leur corps pour se protéger. Comme ça !

En guise de démonstration, Momo adopte une posture qui semble hyper facile. Mais ce n'est pas le cas. La preuve, c'est qu'on passe des heures à la *pratiquer*. Léo contre moi, moi contre Momo, Momo contre Léo…

Momo corrige sans cesse notre posture. Il faut savoir exactement comment placer nos mains, nos bras, nos jambes, pour bloquer les coups.

Léo est plus fort que moi, mais je suis plus souple, si bien qu'on est à peu près égaux.

— Vas-y, Lili! m'encourage Momo. Fonce dans Léo pour qu'il réagisse. Et toi, Léo, fais comme si tu étais un ROCHER. N'oublie pas de protéger…

Crotte de pou! Trop tard. Léo a oublié d'élever ses bras devant son visage. Et il a reçu mon coup de poing en plein front.

Une flambée de colère jaillit dans les yeux de mon ami. Il me dévisage comme si j'étais un ennemi à abattre. Comme s'il me **détestait** presque!

Je n'en reviens pas. *Quelle mouche l'a piqué?*

Léo se prépare à m'attaquer en retour. Il

ne réfléchit plus. Il est tout simplement furieux. **Il veut se venger!**

Je n'ai plus envie d'apprendre l'autodéfense. Les coups, ça rend les gens fous. Tellement que Léo Lauzon oublie que la personne devant lui, c'est Lili Labrie, **sa meilleure amie** depuis avant la garderie.

Par chance, au dernier moment, mon ami reprend ses esprits. Il était temps. Des larmes **gonflent** au bord de mes yeux.

— Lili ! Ex... excuse-moi..., bafouille mon ami.

Fiou ! Léo est redevenu normal. Mais quelque chose d'autre ne va pas parce que Momo vient de pousser un cri retentissant.

CHAPITRE 9

Un vrai bouffon

Dédale a grimpé sur le dos de Sam. Ses crocs sont plantés dans le cou de notre pauvre dragon qui rugit de douleur. Sam n'a pas appris à se défendre. *Il ne sait pas comment réagir.*

Ou plutôt… je me trompe… Il ne savait pas se défendre avant. On dirait qu'il apprend en *accéléré*. Le voilà qui roule sur le dos et repousse Dédale d'un puissant coup de patte.

Le dragon d'Ernesto devient fou furieux. Il griffe le sol, prêt à fondre sur Sam pour le déchiqueter.

— NOOOON ! hurle Momo.

L'affolement de notre ami géant est justifié. Un combat entre Sam et Dédale pourrait signifier la fin des dragons. **L'extermination définitive.**

Il faut absolument les empêcher de s'entretuer.

Dressé sur ses pattes arrière, les yeux scintillants de rage, Sam crache un jet de flammes. L'une d'elles lèche le museau de Dédale qui pousse un gémissement foudroyant.

Dédale grogne, toutes griffes sorties. Sam adopte une position d'attaque, prêt à **RIPOSTER**.

À mon tour de crier.

— NOOOOOON ! SAAAAAM !

Notre dragon se tourne vers moi. Son regard croise le mien. Ses beaux yeux mauves se sont transformés en boules d'orage remplies d'éclairs.

Sam sait ce que je lui demande, mais il n'a pas envie d'obéir. *Il me défie.*

Léo lève vers moi des yeux en points d'interrogation. *Qu'est-ce qu'on fait quand notre enfant dragon ne veut pas obéir ?*

Léo sait comment s'y prendre avec les enfants humains parce qu'il a un jeune frère et deux petites sœurs. Mais on ne peut pas dire à un enfant dragon d'aller réfléchir dans sa chambre. Surtout s'il peut répliquer en crachant du feu!

Léo a une inspiration. Je ne sais pas si l'idée lui vient de ses parents, mais il s'adresse à Sam en utilisant une voix très, très douce, très, très calme.

— Tout doux, Saminou, chuchote Léo. Tout doux…

Dédale crache quelques flammes comme pour protester contre cette tentative d'apaisement. Mais Sam réagit autrement. On dirait qu'un déclic s'est produit.

Notre dragon enroule sa queue autour de lui-même et protège son visage de ses pattes.

Dédale bondit et se jette sur Sam. Je ferme les yeux pour ne pas assister au **massacre**. En les ouvrant à nouveau, j'aperçois Dédale allongé sur le sol.

Notre brave Saminou vient d'inventer une *technique d'autodéfense* pour les dragons.

Malheureusement, Dédale se relève. Le dragon d'Ernesto est déchaîné. On dirait une **machine à tuer**. C'est mille fois pire que la colère de Léo tout à l'heure. Ses prunelles mauves ont viré au noir et il dégage une **odeur épouvantable**.

Les yeux de Sam s'agrandissent. Il SAIT qu'il est en danger. Léo tord ma main dans la sienne. Momo est catastrophé. Nous ne pouvons rien faire. Dédale n'a qu'à cracher du feu pour nous mettre tous hors combat.

C'est alors que Sam décolle. Quelques coups d'aile et hop! le voilà qui s'élève au-dessus de nos têtes. Dédale prend son élan pour le rejoindre, mais Sam nous surprend tous en effectuant une acrobatie aérienne. Puis une autre. Notre dragon exécute des culbutes en plein ciel.

Après un moment d'étonnement, Dédale se secoue, prêt à poursuivre l'affrontement dans les airs. Sam en profite pour se laisser tomber sur le sol.

Il fait le clown maintenant. En position de combat, Sam multiplie les coups de poing vers un attaquant invisible. Il joue les durs, mais de manière gauche et pathétique. Un vrai bouffon!

Dédale l'observe, trop déstabilisé pour bouger. Sam poursuit la comédie.

Il simule une agression, comme s'il venait de recevoir un coup fatal, et s'étend sur le sol, les 4 pattes en l'air.

Dédale s'approche, intrigué et méfiant. Sam va-t-il se relever brusquement et **agresser** son ex-ami?

Le temps semble suspendu. J'entends le bruit de ma respiration et le souffle de Léo tout près. Dédale fait quelques

pas de plus. Sam pourrait lui ficher un coup de patte dans le ventre.

Au lieu de cela, notre brave dragon se relève... **et éclate de rire.**

Je connais assez Sam pour savoir que c'est un rire forcé. Mais il continue. Il rit encore et encore. De gros rires gras et de petits rires hystériques. Des rires *tonitruants* et des rires **nonos**.

Au bout d'un moment, on dirait que Sam s'amuse pour vrai. Je reconnais un de ses **rires** à lui. Un son de vieille casserole mêlé au toussotement d'un moteur, au grincement d'une scie et à des pets de souris.

Un rire très difficile à décrire, mais dangereusement contagieux.

Léo s'esclaffe, suivi de Momo et de moi-même. On rit à pleine gorge et du coup, on se sent beaucoup mieux.

Dédale nous observe comme si on avait tous perdu la boule. Comme si on était complètement marteaux ou furieusement idiots.

Et tout à coup… miracle ! Dédale succombe à son tour. Son rire explose, assez puissant pour enterrer tous les autres. Un rire qui écorche tellement les oreilles que c'en est TORDANT.

Alors, on rit tous de plus belle. Et Dédale encore davantage. Momo se tient le ventre à deux mains parce qu'il a des crampes. Entre deux éclats, Léo se tourne vers moi et se gratte l'épaule trois fois. Je pense pareil.

Nous avons frôlé la catastrophe.

CHAPITRE 10

Dédale égale danger

Les rires des dragons produisent un vacarme d'enfer. Et ceux de Momo ne sont guère plus discrets. Notre gentil géant ne rit pas : **il aboie** !

On dirait une meute de bouledogues. Momo ne s'était pas autant amusé depuis tellement longtemps qu'il en oublie d'être *prudent*.

Le problème, c'est qu'au lieu de faire tant de tapage, on devrait s'efforcer de passer inaperçus. Sans trop élever la voix, j'essaie d'alerter cette bande de drôles :

— YOUHOU ! Tai-sez-vous !

Léo s'arrête immédiatement, mais les trois autres mettent un temps fou à comprendre. J'ai envie de leur hurler de se taire, mais c'est trop dangereux.

Enfin… ils m'entendent. Les rires des dragons diminuent. Sauf qu'ils ont tellement de difficulté à ne pas rire du tout qu'ils se mettent à hoqueter. Et, bien sûr, leurs hoquets sont monstrueusement bruyants.

Léo retient un fou rire. Il faut que j'évite de le regarder, sinon je vais m'esclaffer.

Momo n'a plus envie de rire, lui. Il gratte son crâne chauve de ses gros doigts boudinés. J'ai remarqué qu'il fait ce geste lorsqu'il est nerveux ou contrarié. Je sais qu'il s'en veut d'avoir été *imprudent*. Pauvre gentil géant. Je voudrais trouver quelque chose à dire pour qu'il se sente moins coupable.

— Retournons dans la forêt, propose-t-il. Le ruisseau sera loin et vous risquez de dormir moins bien, mais on n'a pas le choix. Il faut se cacher.

Des fougères presque aussi hautes qu'une maison nous servent de *refuge*. Sam et Dédale sont redevenus amis.

Blottis côte à côte, ils agissent comme s'il ne s'était rien passé.

Les dragons ont-ils moins de mémoire que les humains ? Moi, j'ai du mal à oublier le regard de Léo quand il semblait prêt à me frapper.

Notre ami géant part cueillir des petits fruits. Les dragons font une sieste. On se retrouve seuls, Léo et moi. Le silence entre nous n'a jamais été aussi pesant.

— Je ne sais pas ce qui m'a pris, commence Léo. J'ai vu **noir**. Comme si, quelque part en moi, un dragon méchant venait de se réveiller.

Je suis contente qu'on en parle. La boule dans mon ventre rapetisse. Pour que Léo ne sente pas trop mal, je lui fais une **confidence**.

— Ça m'est déjà arrivé… En première année, j'ai craché sur Fabula Bulova pour une **niaiserie**. J'étais totalement hors de moi. Si j'avais pu, je l'aurais mordue.

— Qu'est-ce qu'elle t'avait fait? demande Léo.

— Bof… C'était il y a longtemps… Si je te le dis, tu vas rire de moi.

Léo insiste du bout des yeux.

— Elle m'avait traitée de toutes sortes de noms dans la cour d'école, dis-je.

— Quels noms? demande Léo.

J'ai envie de répondre que je ne m'en souviens pas. Mais c'est faux. Je m'en souviens *parfaitement*.

— Elle avait hurlé à tue-tête : LI-LI PI-PI.

Léo pouffe de rire. Et moi aussi. On plaque aussitôt nos mains sur notre bouche pour étouffer le bruit.

— Léooooo…

— Ouiiii, Lili…

— À ton avis, pourquoi Dédale s'en est-il pris à Sam ? Il n'avait pas reçu de coup de poing, lui.

— Aucune idée, répond Léo.

— Léoooo…

— Oui, Lili.

— Tu veux savoir ce que je pense ?

— Bien sûr…

— Je pense que Dédale a été excité par ta rage.

Léo réfléchit.

— Tu as peut-être raison, Lili. Le rire, c'est contagieux. Alors, pourquoi pas la rage ?

Léo s'arrête pour méditer à nouveau.

— Ça veut dire que Dédale pourrait se déchaîner encore, ajoute-t-il d'une voix grave. Surtout en cas d'attaque. Tu imagines la scène, Lili ? Sam a été génial. Mais ça aurait pu tourner autrement.

Si j'imagine ? Léo oublie que je suis championne en imagination.

— Léoooo…

— Oui, Lili…

— Si l'armée des Dragonniers nous attaquait, crois-tu que Dédale serait fidèle à nous ou à Ernesto ?

Le soir tombe tranquillement. Momo nous a rapporté des petits fruits. Des jaunes et des rouges. Je les échangerais volontiers contre un hamburger gratte-ciel de papa. Ou des spaghettis gratinés de maman.

Notre gentil géant partage les fruits en deux portions égales pour Léo et moi. Il a mangé sa part sur place dans le but de mieux remplir ses poches pour nous. À la fin du repas, mon ventre gargouille encore de faim. Momo est beaucoup plus grand et plus gros que moi. Il doit donc avoir encore plus faim. Alors, je ne me plains pas.

Sous les énormes fougères, le sol est tout bosselé avec des racines, des plantes et des pierres. Je me demandais comment on allait réussir à dormir lorsque Momo s'allonge entre Sam et

Dédale. Il veut qu'on utilise nos trois compagnons en guise de matelas.

J'allais protester lorsque notre ami géant insiste :

— Vous devez bien dormir. Une grosse journée vous attend demain…

CHAPITRE 11

Étoiles terrestres

Je me réveille en sursaut. Léo secoue doucement mon épaule.
— Entends-tu, Lili ? chuchote-t-il.

Dans mon rêve, deux secondes plus tôt, j'entendais Amélie Meyeur raconter à nos amis de l'école que Léo et moi étions les premiers enfants chevaliers du *Cercle Lancelot*. Tous les élèves voulaient notre autographe. Et Mario Millette, l'étoile de notre équipe de hockey, me faisait les yeux doux.

—Réveille-toi, Lili, me presse Léo. Écoute...

J'ouvre bien grand mes oreilles et j'entends:

* un milliard de chants d'oiseaux,
* un concert de ronflements provenant du matelas,
* la petite musique du vent,
* et la respiration d'une fourmi.

(C'est une blague!)

PFFFF

—Tu as rêvé, Léo. Tout est normal.

À moins que... Crotte de pou! Léo a raison... J'entends maintenant. Des voix!!! Mon cœur joue de la **batterie**.

Je m'adresse à Léo tout bas:

—Il faut les empêcher de ronfler.

Mon ami approuve d'un signe de tête. Il n'ose même pas ouvrir la bouche parce que les voix se rapprochent.

Des voix d'hommes. Ils sont trois.

Je réfléchis à vitesse supersonique. Si on réveille nos copains pour qu'ils cessent de ronfler, ils risquent de crier. De surprise ou de peur. C'est trop dangereux.

Léo a une idée. Je fais comme lui, alors qu'il se déplace prudemment. Il veut qu'on utilise notre corps pour étouffer les bruits. C'est sans doute la meilleure solution.

On perçoit maintenant les bruits de pas. De plus en plus près.

Saperlibobette ! Ils se dirigent vers nous. On entend clairement leur conversation.

— Un dragon ! dit l'un. Tu y crois, toi ?
— Deux dragons ! corrige le deuxième homme du ton de celui qui n'y croit pas une miette.
— Une licorne, trois fées et deux lutins avec ça ? rigole le troisième.

Il suffirait que je me remue un peu pour voir les soldats tellement ils sont tout près. Mais je n'ose pas. Léo prend ma main et la serre très fort. Ça me donne du *courage*.

Ah non ! Les trois compères s'assoient. Mes oreilles sont assez bien aiguisées pour que je devine ce qu'ils font.
— Voulez-vous savoir ce que j'en pense ? questionne l'une des voix.

Personne ne répond.

— Je pense que le chef est **FOU**, poursuit le même homme.

Un murmure d'approbation s'échappe des deux autres.

— Fou raide! précise un autre en tapant sur ses cuisses. Mais on s'en fout. Pas vrai? Tant qu'on est nourris et payés, moi, en tout cas, je ne me plains pas.

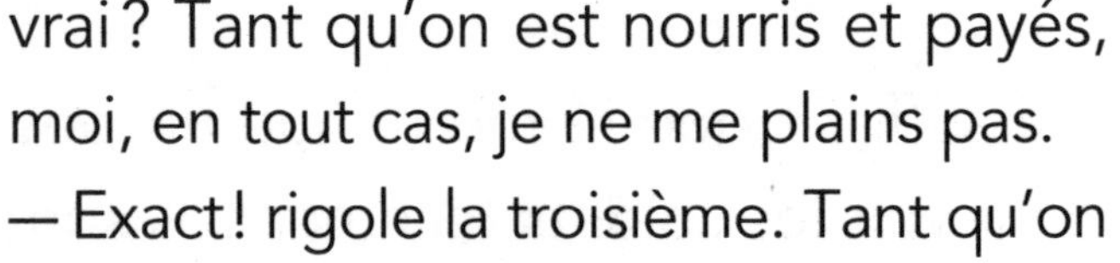

— Exact! rigole la troisième. Tant qu'on est nourris et payés.

— Ouais... Mais il y a des rumeurs... Il paraît qu'ils ont kidnappé des enfants, lance celui qui avait parlé le premier.

— Tant pis. C'est pas de nos affaires, tranche un autre. Allez! On repart... à **LA CHASSE AU DRAGON**!

Quelques secondes plus tard, trois paires de jambes passent à deux mètres de moi. Des armes pendent aux bras des soldats. **Des armes de barbares.**

J'identifie au passage :

* un sabre,
* une épée,
* un poignard.

Je ne respire plus.

Léo retient son souffle lui aussi.

Les trois larrons s'éloignent enfin. Fiou !

Ah non ! Sam gémit dans son sommeil. Une longue plainte aiguë.

— Ouvrez vos oreilles ! lance aussitôt un des soldats. J'ai entendu quelque chose.

Je voudrais empêcher mon cœur de battre aussi fort.

— Lucien a peur de son ombre ! s'esclaffe un homme.

— **LA FERME !** lui répond le Lucien en question.

— Arrêtez de vous disputer. On n'entend rien, tranche le troisième homme.

Les pas s'éloignent pour vrai cette fois.

Fiou. Fiou. Et re-fiou !

Notre matelas est réveillé. Les dragons gigotent pendant que Momo se redresse sur ses coudes. Il lève le pouce pour nous montrer qu'il est fier de nous. Il a tout entendu.

Aucun de nous n'ose encore parler.

Sam et Dédale se rendorment. Leur draconite brille doucement dans la nuit.

La draconite…

Le secret des dragons…

Quand j'y pense, ça me fait drôle. En grandissant, nos deux dragons vont développer des pouvoirs qui pourraient changer l'avenir de l'humanité.

Léo me ramène au présent.

— On l'a échappé belle! chuchote-t-il. L'armée d'Ernesto patrouille la forêt à la recherche de Sam et de Dédale. Il fallait s'y attendre. Ernesto est prêt à **TOUT** pour les récupérer. Et Sophie Saphir aussi.

Tout ça n'est pas très rassurant. Je me demande si je vais réussir à me rendormir.

— Profitons de la nuit, suggère Momo.

On fait comme si on était dans une salle de concert et on écoute la symphonie des oiseaux. De temps en temps, Momo glisse un nom.

— Ça, c'est un kéa, murmure-t-il.

Ou :

— Un tui !

Ou encore :

— Un kaka !

Léo pouffe. Momo aussi. Il faut vraiment être fatigué pour rire des blagues pipi-caca.

Je suis aussi crevée qu'eux, mais je ne ris pas. Le kaka vient de me donner une idée. J'ai peut-être trouvé une arme secrète en cas de danger…

Je dormais presque lorsque Momo nous arrache au sommeil.

— Regardez ! souffle-t-il.

J'ouvre les yeux et… c'est magique ! Des centaines de minuscules étoiles brillent autour de nous.

Pas dans le ciel. Dans la forêt !

— On dirait des lucioles, s'écrie Léo.

— Ce sont des vers luisants, explique Momo. Quand j'étais petit, leur lumière me rassurait. J'aime encore m'endormir avec eux.

— Moi aussi, répond Léo d'une voix qui me semble lointaine parce que le sommeil m'enveloppe déjà.

CHAPITRE 12

Petite guenon

Quand mon parrain nous a demandé si on acceptait de devenir les premiers enfants chevaliers du *Cercle Lancelot*, j'imaginais autre chose…

Momo nous a réveillés, alors que le soleil dormait encore. La draconite de Sam dégageait une étrange lumière dans la nuit. Celle de Dédale luisait beaucoup plus faiblement.

Léo et moi avons grignoté quelques fruits séchés et des noix. J'en aurais mangé dix fois plus, mais il faut en garder pour plus tard. De toute façon, j'ai tellement soif que les noix avaient du mal à descendre dans ma gorge.

Après, on a eu droit à un cours d'autodéfense pendant que ces chanceux de Sam et de Dédale continuaient de ronfler. C'est vrai que les enfants dragons ont besoin de beaucoup de sommeil. Mais nous aussi !

Momo nous a entraînés jusqu'à un endroit où les arbres **géants** de la forêt tropicale sont plus espacés. Il nous a fait répéter des tas de nouveaux mouvements des milliards de fois.

J'étais déjà épuisée et j'aurais pu avaler une rivière lorsqu'il a déclaré :
—Allez rejoindre Sam et Dédale. Et préparez-vous à une attaque en route.

Mon ventre s'est noué. Pendant un moment, j'ai imaginé Ernesto Armaturo devant moi, un sabre à la main, ses yeux **diaboliques** injectés de sang, les traits de son visage enlaidis par la rage. Le chef des Dragonniers semblait prêt à me réduire en purée !

Mais non ! *Lili invente encore des romans*, comme dirait maman. Momo voulait simplement nous prévenir qu'il allait nous sauter dessus lorsqu'on ne s'y attendrait pas.

Une véritable armée de hauts troncs nous encercle. Ces grands arbres habillés de mousses et de végétation tombante sont coiffés, au sommet, de longues branches feuillues bloquant la lumière.

— On prend quelle direction ? demande Léo, le visage rempli de points d'interrogation.
— J'en ai aucune idée.

Ni lui ni moi ne savons comment retrouver le chemin jusqu'à Sam et Dédale.

— Aide-nous, Momo ! plaide Léo.

Notre géant a disparu. Comment réussit-il à se déplacer ainsi sans faire de bruit ?

— Il faut repérer les empreintes de nos pas, décide Léo. Au travail, Lili !

À la plage, dans le sable, ce serait facile. Mais ici, dans la forêt tropicale, le sol est couvert de mousse, de racines et de plantes.

On cherche des traces pendant ce qui nous semble *durer* des heures avant que Léo s'écrie :

— Ici, Lili !

À genoux sur un petit tapis de mousse humide, Léo a trouvé ce qui ressemble à des traces de pas. Droit devant, on peut voir que la végétation a été malmenée. C'est par là qu'on est arrivés.

On avance à pas de tortue parce qu'il faut sans cesse chercher des indices si on veut aller dans la bonne direction.

Le soleil a grimpé dans le ciel et il fait déjà trop chaud.

J'ai une petite pensée pour Amélie Meyeur, qui doit être en train de nager dans sa belle piscine bleu ciel. J'imagine de grands verres de limonade et des gâteaux sur une table basse tout près.

Si j'étais restée chez moi au lieu de partir en mission avec Léo, je pourrais nager, boire et manger, moi aussi.

— J'ai soif! se plaint mon ami.

En me retournant pour l'encourager, je m'exclame:

— Attention, Léo!

Il s'installe aussitôt en position de défense pour parer à l'attaque de Momo, qui vient de surgir derrière lui.

— Bravo, Lé...

Crotte de pou! J'ai tout juste le temps de réagir. Momo m'a prise par surprise. Vite… Je bloque son assaut.

Yééééé! Fiou!!! Crotte de pou! J'ai réussi.

Léo et moi, on s'est beaucoup améliorés. De vrais cham…

Saperlibobette! Momo se doutait que je ne m'attendrais pas à une seconde attaque aussi tôt. Il en a profité pour m'atteindre derrière la tête. Ça n'a pas fait mal parce que Momo contrôle parfaitement ses coups.

Mais… mais… c'est **insultant**. Et enrageant… En plus, je meurs de soif. Et je suis fatiguée. Et puis, franchement, j'en ai vraiment assez de la vie de chevalier en survie au beau milieu de la forêt tropicale.

Des larmes me montent aux yeux.

— Bébélala ! lance Momo.

Léo fronce les sourcils. Momo est-il devenu insensible ? Et **cynique** ?

Il voit bien que je suis à bout pourtant.

Crotte de pou ! Momo s'élance pour me frapper. Sur l'épaule, cette fois.

Léo se porte à ma défense. Il vise Momo. Qui le repousse sans difficulté. Et m'atteint à nouveau derrière la tête.

Cette fois, je vois noir. J'ai presque envie… **de tuer** !

Et Momo m'encourage.

— Vas-y, la puce ! Fâche-toi !

Je ne comprends plus rien. Lui qui disait que la technique d'Okinawa était pa-ci-fique. Qu'on ne devait jamais avoir envie d'attaquer.

— Allez, espèce de petite guenon !
— Arrête, Momo ! se fâche Léo.

Momo se tourne vers nous, un large sourire au visage.

— Utilise ta colère comme carburant, Lili. Transforme-la en énergie intelligente. C'est la clé ! m'encourage-t-il.

Fiou ! Momo est resté un gentil géant. Il essaie de nous apprendre quelque chose d'important. En nous provoquant !

La colère fait encore bouillir le sang dans mes veines. Il faut que j'utilise cette énergie pour repousser l'ennemi au lieu de me fâcher.

Mais comment ?

— Respire bien, Lili, me conseille Momo. Concentre-toi sur ce que tu as appris ! Allez ! Vas-y ! Tu en es capable.

Momo me surprend avec une nouvelle attaque. L'espèce de **TRAÎTRE**. Je vois noir. Et rouge.

NON ! Je prends une grande inspiration. Je ravale ma colère tout en demeurant parfaitement alerte. Je raidis mon corps comme Momo nous l'a enseigné, les bras en position de protection, les jambes bien plantées, les pieds quasiment enfoncés dans le sol. J'y mets toute ma frustration, toute ma volonté, toute mon **énergie**.

Momo frappe encore, mais cette fois il ne m'atteint pas vraiment parce que je suis devenue un mur. *Une forteresse.* Un bouclier.

YÉÉÉÉÉÉÉ !

CHAPITRE 13

Montanologue

À notre arrivée, Sam et Dédale grignotent des feuilles. Ça me rappelle mon idée.

À l'école, en cinquième année, Julien Lachance a organisé un concours de champion mangeur de **hot-dogs**. Les parents n'étaient pas au courant. On s'est réunis au casse-croûte *Le roi de la patate* à côté de l'école.

Louis Labine, le propriétaire, nous a fait un prix spécial pour l'activité.

Le gagnant du concours était celui qui mangerait le plus de hot-dogs en une minute. Nicolas Labbé a été déclaré champion après avoir engouffré huit hot-dogs en cinquante-neuf secondes. Il a aussi été malade les deux jours suivants.

Même si j'ai très-énormément-beaucoup envie de me reposer, j'improvise un concours pour nos dragons. Léo n'est pas emballé, mais il m'assiste par solidarité.

On commence par faire courir Sam et Dédale en les excitant un peu. Il suffit de lancer un bout de branche. Ils adorent ça! Le but, c'est d'aiguiser leur appétit.

J'attends qu'ils aient brûlé assez de calories avant d'expliquer les règles du jeu.

— Le premier dragon qui aura mangé toutes les feuilles d'un arbre sera déclaré champion, dis-je.

Sam et Dédale éclatent de leur rire bizarre.

— CHUTTT ! C'est un jeu silencieux ! prévient Léo en inventant un règlement.

Les dragons se goinfrent pendant une bonne heure. Quand il était petit, Sam a presque vidé un lac en l'avalant. Je savais donc que les dragons ont l'estomac très élastique. Mais de les voir manger tant de feuilles aussi vite, ça m'épate quand même.

Momo mise sur Dédale, et Léo sur Sam. Je reste neutre. Officiellement… En secret, je vote pour Sam.

Au début, Dédale semble en voie de gagner. Mais lorsqu'il ne reste plus que quelques branches couvertes de feuilles dans chaque arbre, Sam le devance. Il va l'emporter!

Il se passe alors quelque chose de surprenant. Sam se met à manger moins vite tout en jetant des coups d'œil à Dédale. Je n'en reviens pas.

Léo et Momo non plus. Dédale n'a pas compris ce qui se passe, mais Sam a décidé de le laisser gagner. Ou plutôt…

Comme par miracle, les deux dragons terminent exactement en même temps. Léo et moi échangeons un regard ému. Nous sommes des parents comblés. Sam est un enfant ex-tra-or-di-naire !

Les dragons allaient faire une sieste, histoire de digérer, lorsque Momo annonce une séance d'entraînement.

— La dernière de la journée et la plus amusante, promet-il.

J'ai à peu près autant envie de m'entraîner que de jouer avec des tarentules sur un tapis de clous, mais tant pis. C'est ça, *la vie de chevalier*.

Nous marchons en forêt depuis un bon moment lorsqu'un son neuf nous surprend. Un bruit d'eau. Ou plutôt, de torrent!

Les dragons *foncent* droit devant. Quelques minutes plus tard, Léo, Momo et moi contemplons un paysage de carte postale.

Une chute spectaculaire jaillit du haut d'une falaise. Un bassin d'un bleu lumineux miroite au pied du rideau d'eau. Et, au beau milieu, deux dragons font les bouffons.

Sam et Dédale avalent beaucoup d'eau avant d'asperger leur adversaire. En plein museau!

J'étais persuadée que la marche en forêt jusqu'à ce paradis constituait l'entraînement. Erreur!

— Un sentier mène au sommet de la chute, annonce Momo. Et de là, vous pourrez sauter.

Dans ma petite tête, je pense :

* Hauteur…
* Vide…
* Vertige…

Ma gorge se noue et mes mains deviennent moites.

— Le dernier rendu pue ! lâche Léo.

J'oublie ma peur et je m'élance.

Au début, on court, mais le sentier devient tellement abrupt qu'il faut bientôt avancer à 4 pattes en s'agrippant à des branches et à des racines.

Mon parrain est géologue. Moi, j'aimerais devenir montanologue. Je ne sais pas si le mot existe, mais mon travail consisterait à escalader des montagnes pour mieux les étudier.

— Léo Lauzon pue le poisson ! dis-je en arrivant la première.

Léo me concède la victoire en élevant un bras pour frapper la paume de sa main contre la mienne. Le sentier nous a menés à un petit surplomb. On dirait un tremplin naturel. Le point de vue est réellement impressionnant.

En nous apercevant, Sam et Dédale veulent battre des ailes jusqu'à nous, mais Momo le leur interdit. S'ils volaient trop haut, ils pourraient être vus.

D'ici, le bassin d'eau semble minuscule. Je suis partagée entre la peur des hauteurs et l'envie de sauter.

— À trois, on y va ! lance Léo en prenant ma main.

Je fais oui de la tête, même si le vertige commence à ramollir mes jambes.

— Un… deux…

Pour éviter que je change d'idée, Léo saute avant le chiffre 3.

Mon cœur grimpe dans ma cervelle, descend dans mes orteils et refait un **tour d'ascenseur** jusqu'en haut.

J'entends le PLOUF ! de mon corps qui coule vers le fond et… j'émerge. Radieuse !

Sam et Dédale nous applaudissent en frappant la surface de l'eau du bout de leur queue.

— Il vous reste 9 sauts à réussir, commande Momo, impitoyable.

Décidément, notre ami géant prend son rôle d'entraîneur très au sérieux.

Mais cette fois, on ne se plaint pas. Je peux difficilement imaginer un exercice plus excitant.

D'une ascension à l'autre, on dirait que le sentier est de plus en plus à pic. À la fin, on se traîne à genoux.

— Je vais mourir! prévient Léo, le visage fendu d'un énorme sourire.

Momo nous encourage.

— Plus que deux sauts et c'est réussi, dit-il.

La fatigue m'étourdit alors que j'escalade le sentier pour la neuvième fois. Arrivée au sommet, je remarque que la main de Léo tremble. Il est totalement épuisé lui aussi.

Au dixième saut, j'ai du mal à trouver la force de remonter à la surface de l'eau. Mon bon Saminou devine tout. Il plonge et me prend sur son cou.

On passe l'heure suivante, Léo et moi, chacun accroché au cou d'un dragon, à profiter de la fraîcheur de l'eau. Puis, on s'étend sur des roches chaudes pour jouir des derniers **rayons de soleil**.

Alors que je m'étire paresseusement, ma main rencontre un objet coincé entre deux roches. C'est un reste d'emballage sur lequel on peut lire : Saucisson Sec du Maître Saucissier.

— Essaie de répéter ça très vite, dis-je en tendant le bout de papier à Léo.

Léo tente le coup, mais s'emmêle vite dans les syllabes. C'est presque aussi difficile à répéter rapidement que la phrase préférée de notre professeur de troisième année: *Les chemises de l'archiduchesse sont-elles sèches ou archisèches?*

Je passe l'emballage à Momo. Notre ami ne dit rien. L'air piteux, il contemple les mots sous ses yeux.

Au bout d'un long silence, il laisse échapper:

—Je ne sais pas lire. Je n'ai jamais appris.

Léo se gratte l'épaule en même temps que moi. *C'est la première fois de notre vie qu'on rencontre un analphabète.*

CHAPITRE 14

Tout un livre !

— Mais... au château... je me souviens... tu nous avais transmis un mot, rappelle Léo.

— C'est un soldat ami qui l'avait écrit, répond le grand Momo avec une voix de petite fourmi.

L'histoire de Momo est pa-thé-tique. Ernesto et lui ont été abandonnés par leurs parents en pleine forêt tropicale, alors que Momo avait 8 ans et son grand frère 4 ans de plus.

12 ans! C'est notre âge, à Léo et à moi!

— Nos parents nous aimaient beaucoup, raconte Momo, la voix remplie d'émotion. Ils n'avaient pas beaucoup de sous, mais ils s'occupaient bien de nous. Malheureusement, mon père est tombé très malade et ma mère a perdu tout son courage.

Notre brave géant est secoué par ces souvenirs. Il ravale sa salive avant d'ajouter:

— Et après, petit à petit, je crois qu'elle a perdu la tête.

— Elle est devenue *folle*? ose demander Léo.

Le silence qui suit est troublant. Lorsqu'il reprend la parole, Momo nous raconte qu'un matin, Ernesto et lui sont partis en promenade avec leur maman. Après une longue marche épuisante, son frère et lui se sont réveillés seuls dans la forêt tropicale. Leur maman avait profité de leur sieste pour *s'enfuir.*

Les deux frères ont tenté de revenir sur leurs pas, mais au lieu de ça, sans le vouloir, ils se sont enfoncés davantage au cœur de la forêt. C'est là qu'ils ont été forcés d'apprendre à survivre dans la nature.

— Mon grand frère partageait avec moi tout ce qu'il pouvait trouver à manger. Mais à force de vivre misérablement,

Ernesto est devenu très... dur. Envers lui-même. Et envers moi...

Pendant un moment, j'essaie d'imaginer ce qui se cache derrière ces mots. *Qu'est-ce que Momo a bien pu endurer? Comment Ernesto le traitait-il?*

Ça me donne des frissons juste d'y penser.

—C'est devenu tellement pénible que j'ai dû me sauver, poursuit Momo. Ernesto ne me l'a jamais pardonné.

—Il a dû être cruel avec toi! compatit Léo.

Momo baisse les yeux.

—Ernesto a réussi à sortir de la forêt, poursuit notre ami. Moi, j'y suis resté plusieurs années. J'ai appris à **aimer** ça...

— Je comprends pourquoi tu ne sais pas lire, dit Léo. Mais Lili et moi, on peut te l'enseigner.

Le visage de Momo s'éclaire comme si on venait de lui promettre la lune.

— Quand on sortira d'ici. Peut-être... dit Momo d'une voix soudain rêveuse.

— Non ! Ici, dans la forêt. C'est faisable, s'enthousiasme Léo.

Momo ne semble pas oser y croire.

Je l'encourage à mon tour :

— **Léo a raison !** On peut former des lettres avec des bouts de branches. Commençons tout de suite. Avec ton nom. Mo-mo. C'est facile...

Une heure plus tard, Momo sait écrire son nom. Et il en est tellement ravi, tellement **fier**, tellement **excité** que ça me fait tout drôle. Je n'ose pas lui dire qu'il nous reste encore 24 lettres à lui enseigner. Et des milliers de combinaisons possibles.

— Vous pensez qu'un jour je pourrai lire tout un livre ? demande Momo comme s'il s'agissait d'escalader l'Everest ou d'atterrir sur Saturne.

— Juré craché. Promis garanti, répond Léo.

Un gigantesque sourire éclaire le visage de Momo en révélant les petits trous entre ses dents.

Il fait presque noir déjà. Momo suggère qu'on dorme près de la chute.

— Bonne idée! dit Léo. Le bruit enterrera nos voix et on aura de l'eau potable tout près.

— Et il y a un refuge idéal pour vous! ajoute notre ami, trop heureux de pouvoir nous faire plaisir.

Le rideau d'eau de la chute dissimule une grotte. C'est le refuge le plus chouette qu'on puisse imaginer. Sec et bien protégé. Avec une vue exceptionnelle sur l'eau qui bouillonne à côté.

J'ai très faim, mais je n'ose pas me PLAINDRE. Je sais qu'il nous reste des biscuits, des raisins secs, du saucisson. Momo va sûrement nous en offrir.

Ça me rappelle le concours!

— Léoooo....

— Oui, Li...

À cet instant précis, Sam pousse un petit gémissement. J'espère aussitôt que mon plan va se réaliser.

Malheureusement, il ne se passe rien. Sinon que Dédale se met à gémir à son tour. Puis s'arrête.

— Ils ont peut-être mal au ventre d'avoir trop mangé, s'inquiète Momo.

Léo m'interroge du regard.

Tout à coup, presque exactement au même moment, Sam et Dédale commencent à se trémousser bizarrement.

Ça dure plusieurs minutes. Puis... PLOP ! Chacun d'eux pond un œuf énorme.

Un gros œuf vert et mou.

Momo se gratte le crâne en contemplant l'étrange chose. Léo attend la suite. Je crois qu'il a deviné mon plan.

Les deux tas verts gigotent comme s'ils dissimulaient quelque chose de vivant. Et soudain, ils explosent. Des éclairs multicolores fusent en pétaradant. Momo est totalement fasciné par le spectacle.

À la fin, il ne reste plus rien. Les dragons semblent sourire, comme s'ils étaient fiers de leur production. Même si tout a disparu.

— Qu'est-ce que c'était ? questionne Momo encore éberlué.

— Deux gigantesques crottes de dragon, répond Léo. Des crottes qui ne puent pas et disparaissent rapidement.

Trop contente, j'ajoute :

— En plus, elles sont magiques.

— Magique ? interroge Momo.

Quelques minutes plus tard, les gaz invisibles et inodores émis par les crottes de dragon ont l'effet que j'espérais. Léo et moi ne disons rien, car c'est amusant de voir Momo prendre conscience de ce qui lui arrive en même temps que nous.

On dirait que j'ai des **ressorts** dans les bras et les jambes, et j'ai l'impression que je pourrais courir un *marathon* sans m'essouffler.

— La… la magie… dont tu parlais, Lili… est-ce que… ça donne… de l'énergie? demande Momo.

— Oui, de l'énergie brute très concentrée, répond Léo à ma place. Mais pas nécessairement magique… Un jour, je vais trouver la clé du mystère des crottes de dragon en identifiant la composition des gaz émis. Après, je synthétiserai des éléments pour développer des médicaments qui donneront de l'énergie aux gens.

Momo observe Léo comme s'il avait trois têtes et douze bras. Dans le silence qui suit, mon ventre produit des lamentations. Ça me donne une idée.

— Je propose qu'on profite de l'effet des crottes magiques pour trouver de la nourriture.

— Il fait presque **noir**..., proteste faiblement Momo.

— Tant pis! On n'a qu'à ouvrir les yeux plus grands et **aiguiser** nos oreilles pour identifier les bruits comme tu nous l'as appris, réplique Léo.

Mon meilleur ami est tellement rempli d'énergie qu'il va se mettre à sauter comme un kangourou si on ne bouge pas d'ici.

— Chasseurs! À vos marques, lance-t-il.

Énergisés par les gaz eux aussi, Sam et Dédale frétillent sur place. Végétariens ou pas, ils ont très envie de participer.

— Un, deux, trois... partons! dit Momo.

CHAPITRE 15

Parfum de momie

Léo finit de dévorer la perdrix qu'il a lui-même chassée. Puis, il émet un gros rot. Depuis qu'on est ici, je découvre le côté **homme des cavernes** de mon meilleur ami.

Il doit être environ trois heures du matin et on est encore debout. C'est la première fois de ma vie que je reste éveillée aussi tard. On est bien près du feu, à l'abri derrière le rideau de la chute, en compagnie de nos dragons et de notre bon gros géant.

—Momo, parle-nous encore d'Ernesto et de quand tu étais seul dans la forêt, réclame Léo.

Le visage de Momo se crispe. Il n'a pas envie d'en parler.

Pour changer de sujet, j'attire leur attention sur Sam.

— Regardez! Sa draconite brille de plus en plus chaque soir.

J'allonge le bras pour caresser le crâne lumineux de Saminou. Léo en profite pour faire la même caresse à Dédale dont la draconite brille beaucoup moins.

UN RUGISSEMENT TERRIBLE crève la nuit. Au même moment, Léo se précipite hors de la grotte en hurlant.

— Qu'est-ce qui se passe ? demande Momo stupéfait.

Sam s'est redressé. Il regarde en direction de Dédale. Les yeux du dragon d'Ernesto sont plus **noirs** que la nuit et traversés d'éclairs dangereux.

— Léooo !

Je rejoins mon ami au pied de la chute, de l'autre côté du rideau d'eau. Il tient un bras pressé contre sa poitrine. Et il y a du sang sur sa chemise.

Léo est blessé. Il ne s'agit pas seulement d'une petite égratignure. Dédale l'a mordu. La plaie n'est pas profonde, mais quand même !

Je m'élance vers la grotte. Et c'est moi qui rugis cette fois :

— Dédale ! Qu'as-tu fait ?

Le dragon d'Ernesto me défie un moment de ses **yeux d'orage**. Puis, comme s'il prenait soudain conscience de ce qu'il a fait, il baisse la tête.

C'est là qu'à la lumière des braises de notre petit feu de branches, je remarque…

— Non ! C'est impossible ! dis-je, tout haut.

Léo me rejoint, son bras blessé pressé contre sa poitrine. Sa bouche s'ouvre bien grand, puis se referme, puis s'ouvre encore. *On dirait un poisson.* Léo dévisage Dédale d'un air ahuri.

— Les dragons n'ont pas de cornes, bredouille Léo. C'est écrit dans *Dragons*.

Mythes et réalités : toute la vérité. N'est-ce pas, Lili ?

Je fais oui de la tête avant de répliquer :

— Mais Dédale va avoir des cornes, lui.

Dédale garde la tête penchée. Momo tend un bras pour toucher aux deux bosses sur son crâne qui ressemblent beaucoup à des bébés cornes.

Le second rugissement de Dédale est épouvantable. Momo retire son bras juste à temps. Un peu plus, et les **crocs du dragon** se refermaient sur sa main.

Dédale a aussi craché une flamme. Une flamme qui met le feu à la chemise de Momo.

Léo crie, alors que je fige sur place. Deux chevaliers archinuls !

Une chance que Sam est là. Notre brave Saminou éteint les flammes en crachant un puissant jet d'eau. Il a réagi ultra rapidement, mais la chemise de Momo est quand même trouée et sa peau légèrement brûlée.

Ma colère contre Dédale est telle que j'oublie tout danger.

Sans réfléchir, j'avance vers lui. Il lève aussitôt la tête et me **fusille** du regard avec l'air de dire: *N'approche pas. Ne me touche surtout pas!*

Le dragon d'Ernesto sent la vieille momie. Ou le poisson pourri. C'est clair: il est enragé.

Eh bien tant pis! Moi aussi.

J'éclate:

— Espèce de **traître**!

Nous sommes nez à museau, le dragon et moi. Je pourrais lui tordre le cou. Il pourrait me calciner. Qui bougera le premier?

Un coup de queue de Sam me force à reculer. Les beaux yeux mauves de Saminou me transpercent. Il n'y a pas une miette de colère dans son regard. Sam a seulement l'air très décidé. Ses yeux luisent d'un étrange éclat, alors qu'il se tourne maintenant vers Dédale.

Léo gratte trois fois son épaule droite. Moi aussi. On a compris. Sam veut utiliser les pouvoirs que lui confère sa draconite pour *hypnotiser* Dédale.

Toutes les couleurs de l'arc-en-ciel se fondent dans le regard perçant de notre brave dragon. Il est totalement concentré sur sa tâche, le cou tendu, sa

longue queue aplatie sur le sol, les piquants de sa crête dressés sur son dos. Seule la petite pointe de flèche au bout de sa queue remue un peu.

Le dragon d'Ernesto résiste. L'orage gronde dans ses prunelles sombres. Il pousse un long grognement menaçant… qui, peu à peu, s'éteint dans le silence.

Saperlibobette ! Sam a réussi. Dédale est hors d'état de nuire. Il ne bouge pas et semble totalement inoffensif.

— Bravo, Sa…

Léo presse une main sur mon épaule pour me faire taire. Sam n'a pas terminé. Il ne veut pas seulement plonger Dédale dans une sorte d'engourdissement. Il se passe autre chose. Je le sens. Léo et Momo également. Et Dédale aussi.

Sam émet... *des ondes*. Des ondes chaleureuses. Des ondes pacifiques et tendres. On dirait presque qu'il nous transmet des **émotions**.

Ma colère fond. Je respire calmement. J'observe Dédale et j'éprouve quelque chose qui ressemble à de la pitié.

Sous l'influence de Sam, je me mets à réfléchir autrement. *Dédale n'a pas attaqué par pure méchanceté*. Il s'est défendu. Les bouts de cornes sur son crâne sont sans doute très douloureux. Le dragon d'Ernesto a réagi à la caresse de Léo parce que ça lui a fait très mal. Et après, il a eu peur que Momo lui inflige la même douleur.

C'est sûr que Sam n'aurait pas agi de cette façon. Peut-être que Dédale restera toujours un dragon dangereux qui peut faire des ravages lorsqu'il se sent menacé. Mais son agression n'était pas gratuite.

Les yeux du dragon d'Ernesto ont retrouvé leur couleur normale et il ne dégage plus un parfum de fond de poubelles.

Fiou ! Quelle journée ! Et quelle soirée ! Et quelle nuit !

—C'est peut-être l'heure de dormir, suggère **Léo-le-sage** en étouffant un bâillement.

J'allais approuver lorsque Sam et Dédale nous surprennent à nouveau.

CHAPITRE 16

Tomates toxiques

Sam s'est approché de Dédale, et très délicatement, du bout du museau, il lui fait une caresse entre les deux oreilles et sur le cou. Dédale réagit en grognant. De plaisir, cette fois !

Les oreilles de Sam s'agitent alors rapidement dans un mouvement d'hélice. C'est plutôt comique. Mais Dédale ne rit pas. Il bat des paupières, ravi par ce spectacle.

Les piquants-qui-ne-piquent-pas sur la crête de Sam et de Dédale ondulent joliment, comme sous l'effet du vent. Les deux dragons émettent un long sifflement. Exactement en même temps! Puis, Dédale utilise le petit triangle au bout de sa queue pour gratouiller les flancs de Sam, qui soupire de contentement.

— Tu penses ce que je pense, Lilipou? demande Léo.

Je m'entends répondre d'une voix éberluée:

— On… on dirait qu'ils sont… a…

— **A-MOU-REUX!** complète Momo en battant les mains d'excitation.

Les dragons continuent de jouer à Roméo et Juliette sous nos yeux. Pendant un bon moment, ni Léo, ni Momo, ni moi ne parvenons à détacher notre regard de la scène.

C'est très étrange, un peu drôle et plutôt touchant. On dirait vraiment que Sam et Dédale se font des mamours.

— Léoooo….

— Oui, Lili…

— Dans le grand livre sur les dragons, c'était écrit que les dragons n'ont pas de cornes et on voit bien que c'est faux, n'est-ce pas?

Léo approuve d'un signe de tête.

— Dans le grand livre sur les dragons c'était aussi écrit que les dragons n'ont pas de sexe, n'est-ce pas?

— Tu penses que ça pourrait être faux ? demande mon ami.

Je fais oui de la tête. Léo réfléchit intensément.

— Même les plus grands chercheurs peuvent commettre des erreurs…, finit-il par admettre. Et la réalité évolue. Peut-être que les dragons de l'ancien temps n'avaient pas de sexe ni de cornes, et que maintenant c'est différent.

— Est-ce que ça voudrait dire que Sam et Dédale pourraient avoir des bébés ensemble ? demande Momo en rougissant jusqu'au bout de ses grandes oreilles décollées.

— Ça me semble peu possible, répond Léo.

— Pourquoi ? demande Momo, qui est aussi déçu que moi par la réponse de Léo.

C'est au tour de Léo de rougir.

— Vous avez sûrement remarqué que Sam et Dédale n'ont pas d'organes sexuels différents, explique Léo. Ils ont chacun un petit trou sous le ventre près de la queue par où ils font pipi, et un autre sous la queue qu'ils utilisent pour pondre de grosses crottes molles et vertes.

— Mais Dédale a des débuts de cornes et Sam n'en a pas, rappelle Momo. D'habitude, l'animal qui a des cornes est un mâle et celui qui n'en a pas est une femelle. Ça voudrait dire que Sam est une fille.

Sam, une fille?! Im-pos-sible. Dans ma tête, depuis sa naissance, Sam est un garçon.

— Sam aura peut-être des cornes plus tard, suggère Léo.

Cette fois, mon **orgueil de mère** est touché.

— Ça m'étonnerait que Dédale soit plus avancé que Sam, dis-je. Le dragon d'Ernesto est tout bousillé parce qu'il a mangé trop de mandragore. Sam est en bien meilleure santé. Sa draconite se développe mieux, brille davantage et lui donne des pouvoirs magiques que Dédale n'a pas.

En silence, j'ajoute: *Gnan gnan gnan.*

— As-tu déjà mangé une grosse tomate, Lili Labrie? lance Léo.

Je me demande où mon ami veut en venir…

— Les grosses tomates sont souvent bourrées de produits toxiques. C'est ce qui les fait grossir plus vite. Personne ne connaît encore l'effet des surplus de mandragore sur Dédale, mais ça pourrait accélérer sa croissance.

Les tomates toxiques ne m'intéressent pas vraiment. Mais l'idée que Sam ou même Dédale ait des bébés m'excite énormément.

Les deux dragons sont tendrement blottis l'un contre l'autre. Le petit triangle au bout de la queue de Dédale repose sur la tête de Sam. C'est craquant!

Je les imagine tout à coup entourés de bébés dragons. Des bébés dragons… bleus. Sam n'était pas bleu à la naissance, mais il me semble que, si lui et Dédale avaient des bébés, ils seraient particulièrement mignons tout bleus.

— Lili…, murmure Léo. Penses-tu qu'un jour, grâce aux dragons, on sera grands-parents?

Dans mon cauchemar, je suis sur une scène devant une salle remplie de spectateurs. C'est la grande première de notre spectacle annuel de danse à l'école. J'ai décroché un rôle important, c'est à mon tour d'éblouir la foule, tous les regards sont tournés vers moi… mais je ne bouge pas.

Des centaines de spectateurs, dont mes parents, mamie Berthe et tous mes amis, se demandent ce qui se passe, et dans la salle quelques personnes impatientes commencent à crier CHOUUUUU. Je voudrais danser, je me souviens de tous les pas, mais je n'y arrive pas parce que… *j'ai trop envie !*

J'ouvre les yeux et… j'ai encore envie. Il me semble que je viens tout juste de m'endormir, j'ai atrocement sommeil, mais je dois absolument me lever pour soulager ma **vessie**.

Des centaines d'oiseaux jacassent et le soleil s'est déjà réveillé. On s'est endormis tellement tard que, même si j'ai l'impression d'être au milieu de la nuit, c'est le matin.

Une petite bête détale derrière moi, alors que je cherche un endroit discret pas trop loin de la chute. *Pas question que Léo ou Momo me surprennent dans une position gênante en ouvrant les yeux.*

Je me dirige vers un bouquet d'arbres. Si je n'avais pas aussi envie, j'irais encore plus loin. C'est ridicule, mais j'ai l'impression qu'on m'espionne.

Ouf! Ça fait du bien. Avoir très envie, c'est une vraie torture. Je me sens plus légère maintenant. Et prête à retourner dans notre grotte bien ***à l'abri*** pour dormir encore plusieurs heures.

Une branche craque derrière moi. Je me retourne vivement et j'adopte instinctivement une des positions d'autodéfense que Momo nous a enseignées.

Sans succès! Une main se referme sur ma cheville. Je perds l'équilibre et glisse sur le sol spongieux. La main m'empoigne solidement et me traîne jusqu'à de hautes fougères aux larges feuilles derrière lesquelles mon agresseur se dissimule.

J'ai tellement bien suivi les conseils de Momo en gardant mon sang-froid que je n'ai pas crié. C'est le temps, maintenant. Je dois absolument alerter mes compagnons.

Une main se plaque sur ma bouche avant que je puisse mettre mon plan à exécution.

— Chhhuuutttt, Lili, murmure une voix que je reconnais.

CHAPITRE 17

Talons hauts

Des dizaines de soldats de l'armée d'Ernesto sont réunis autour d'un immense chaudron posé sur un feu de braises rougeoyantes. Une sorcière brasse la soupe.

Sophie Saphir!

Celui qui m'a attrapée par la cheville, c'est nul autre que Sylvain Sicotte. C'est aussi lui qui a ordonné à un soldat de me balancer sur son dos pour me transporter jusqu'au feu de camp.

J'estime que nous sommes à environ un kilomètre de la chute. À notre arrivée au campement, mon porteur m'a jetée au pied d'un arbre. Comme si j'étais un vieux sac de poubelle!

Impossible de fuir: j'ai les mains et les pieds ligotés. C'est Spartacus, l'amoureux de Sophie Saphir, qui s'est amusé à me saucissonner. Sous les yeux de Sylvain Sicotte, qui n'a même pas protesté!

J'avais déjà imaginé que Sylvain puisse être un espion. Ou un traître. Et Léo s'était moqué de moi.

— Tu inventes des romans, Lili Labrie!

Crotte de pou! J'avais raison. Le pire, c'est que je l'aimais bien, Sylvain.

Malgré ses manières rudes, je trouvais qu'il avait un cœur en or. Ou plutôt, je *croyais* qu'il avait un cœur en or.

Les soldats autour du feu ont l'air affamés. Et Sophie Saphir m'apparaît aussi diabolique que dans mon souvenir. Est-ce que ça veut dire que je pourrais finir dans le chaudron ?

Momo dit qu'en cas de détresse, il faut absolument garder la tête froide. Ne pas paniquer. J'essaie de résumer la situation le plus calmement possible :

1. *Je suis un enfant chevalier du Cercle Lancelot ;*
2. *Je suis prisonnière des Dragonniers.*

Non ! Je recommence :

1. *Je suis un enfant chevalier du Cercle Lancelot ;*

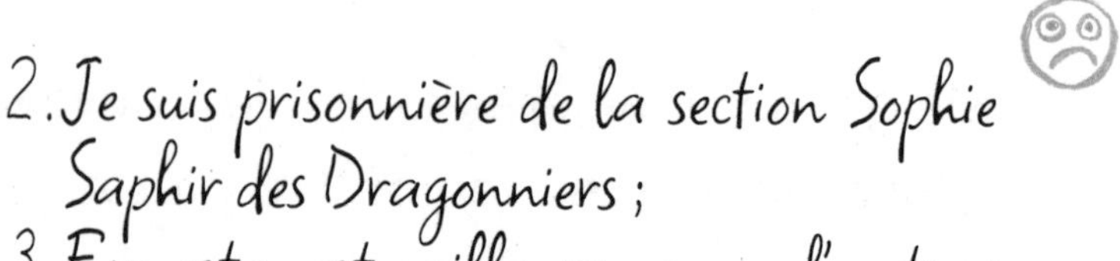

2. Je suis prisonnière de la section Sophie Saphir des Dragonniers ;
3. Ernesto est ailleurs avec d'autres soldats ;
4. Sophie Saphir veut tuer Sam pour utiliser sa draconite afin de fabriquer des produits de beauté ;
5. Sylvain Sicotte s'est associé à Sophie Saphir.

La dernière affirmation me crève le cœur. Non ! C'est impossible. Je refuse d'y croire.

Troisième version :

1. Je suis un enfant chevalier du Cercle Lancelot ;
2. Je suis prisonnière de la section Sophie Saphir des Dragonniers ;

3. Ernesto est ailleurs avec d'autres soldats ;
4. Sophie Saphir veut tuer Sam pour utiliser sa draconite afin de fabriquer des produits de beauté ;
5. Sylvain Sicotte fait semblant d'être associé à Sophie Saphir.

Je cherche Sylvain parmi les autres soldats. Il blague avec cette **crapule** de Spartacus. Comme s'ils étaient les meilleurs amis du monde.

Je me cramponne quand même à mes espoirs. Sylvain Sicotte est resté fidèle à la mission des chevaliers du Cercle Lancelot, qui est d'instaurer un **monde meilleur** avec l'aide des dragons. JAMAIS il ne collaborerait pour vrai avec les Dragonniers.

Avant qu'on s'évade du château, Sophie Saphir a déjà courtisé Sylvain afin qu'il s'associe à elle contre Ernesto Armaturo. Sylvain a probablement décidé de jouer le jeu. De faire semblant...

Ça voudrait dire qu'il a un plan. Oui... C'est sûr! Il faut que j'y croie, parce que, sinon, c'est trop désespérant.

Un soldat dépose un bol de soupe entre mes deux mains ligotées.

— Mange! ordonne-t-il durement.

Facile à dire, tête de petit pois. Essaie donc, toi !

Il va falloir que je boive la soupe de la même façon que si j'avais les mains tranchées. J'ai envie de chialer comme un gros bébé. De dire au soldat que je ne suis plus un enfant chevalier, que je m'ennuie de mes parents, que je veux rentrer à la maison…

— Dépêche-toi! aboie le soldat en s'installant devant moi pour me surveiller.

Comme si j'allais m'enfuir !

C'est à ce moment que je remarque… qu'il sourit. Le soldat me regarde droit dans les yeux en souriant. Personne ne peut voir ce sourire. À part moi.

Encouragée, j'avale rapidement ma soupe. Le soldat se penche alors pour reprendre mon bol. Il en profite pour murmurer à mon oreille:

— N'aie pas peur, Lili. Aie confiance.

Le soldat glisse aussi quelque chose entre mes mains.

Un minuscule bout de papier.

Crotte de pou! Comment vais-je faire pour le déplier et lire ce qui est écrit avec les mains attachées?

Réponse: En me tortillant comme un ver de terre.

Le papier m'échappe des mains. Je dois multiplier les acrobaties pour le récupérer sans attirer l'attention des soldats.

Bon. Ça y est. Je réussis à le déplier en attrapant une crampe aux doigts.

Il n'y a qu'un seul mot d'écrit sur le bout de papier:

J'aurais besoin de Léo. J'ai déjà lu ou entendu ce mot-là, mais je ne me souviens plus de ce qu'il signifie.

J'ai dû m'assoupir. Le feu est éteint. La sorcière Saphir se tient debout à trois pas de moi. Elle porte un chapeau **extravagant**, une longue robe de velours rouge à la mode du temps des chevaliers, et des bottes de cuir à talons très hauts. Au beau milieu d'une forêt tropicale au bout du monde!

Tous les soldats sont rassemblés devant elle. Et ils sont lourdement armés. **Lances, sabres, épées**...

— Le plan sera maintenant mis à exécution, annonce SS. Les Maîtres Dragonniers Sicotte et Spartacus guideront chacun une unité. Attendez que nos cibles se soient réfugiées dans leur abri avant d'attaquer. Je veux une formation de chaque côté de la chute. **C'est bien compris ?**

— YAAAAAAA ! hurlent en chœur les soldats.

— Faites ce que vous voulez avec le gros idiot et le petit futé, poursuit SS d'une voix sinistre. Mais ramenez-moi les deux dragons. **Morts ou vivants.** Compris ?

CHAPITRE 18

Machine de guerre

— Toi, la petite dompteuse de dragon, tu restes avec moi! déclare Sophie Saphir après le départ des soldats.

Qu'est-ce qu'elle me veut? Qu'est-ce qui m'attend?

L'affreuse harpie devine mes pensées.

— En d'autres circonstances, je me serais peut-être intéressée à toi, me confie-t-elle en me scrutant de la tête aux pieds. Avec beaucoup de travail, des huiles et des crèmes, je pourrais faire de toi une **jeune fille magnifique**.

J'ai une furieuse envie de répliquer: *Non merci, je me trouve déjà pas mal du tout.*

— Mais ici, dans cette forêt infecte, tu es ma dernière carte, annonce-t-elle en éclatant d'un rire sardonique.

— Ça... ça veut dire... quoi?

— Si les dragons nous causent des problèmes, je vais te **trancher** en deux devant eux!

Un nouveau rire monstrueux jaillit. Pour que je ne meure pas de **peur**, elle ajoute:

— Ne t'inquiète pas, ma chérrrriiiie. Je n'aurai pas besoin de te sacrifier. Les gros lézards t'adorent. Ils vont m'obéir.

Sa voix s'est adoucie. Du bout de ses longs doigts aux ongles peints en vert, **Sophie Saphir** repousse une mèche de cheveux sur mon front. On dirait presque qu'elle est contente que je sois près d'elle. Comme si j'étais sa chose. Son enfant…

Brrrrrr. Ça me donne la chair de poule.

— Transportez-nous ! commande-t-elle aux quelques soldats restés avec elle.

Je comprends maintenant comment elle peut avoir des talons si hauts en pleine forêt tropicale. *Sa Majesté Saphir* ne marche pas : elle se fait porter. Deux soldats joignent leurs mains pour lui servir de siège, et hop! ils s'enfoncent entre les arbres.

Je préférerais marcher, mais la grande patronne a décidé que je voyagerais comme elle. Nous atteignons rapidement la chute. Tout est calme et silencieux. *Mes amis sont-ils cachés dans la grotte ou partis à ma recherche ?*

Les unités commandées par Sylvain et Spartacus ne sont pas encore sur les lieux. C'est normal. Ils doivent déployer plus d'efforts afin de passer inaperçus.

Je voudrais hurler à tue-tête pour avertir Léo et les autres du danger. Pour qu'ils soient prêts à se transformer en bouclier. Ou à répliquer.

Non... À cent contre un, la seule solution, c'est les dragons. Eux seuls peuvent combattre les soldats. En crachant du feu.

J'entends des murmures. Sophie Saphir aussi. Nous sommes à quelques pas du rideau d'eau, tout près du sentier menant au sommet des chutes.

Même en aiguisant mes oreilles comme nous l'a enseigné Momo, je n'attrape que des bouts de phrase.

Léo dit:

—Lili… sans faute… absolument…

Momo répond:

—Tête froide… stratégie… ruse…

Des branches **craquent**. À peine. J'aperçois soudain des soldats dans la forêt. Ils sont arrivés. Ils sont prêts à attaquer. Les lames de leurs armes scintillent entre les arbres.

Aïe! Ouch! Ayoye! Sophie Saphir vient d'enfoncer ses longs ongles verts dans mes épaules. Qu'est-ce qui lui prend?

Elle fixe les soldats éparpillés dans la forêt avec des yeux d'orage. Comme ceux de Dédale en pleine crise de rage!

— Ernesto! siffle-t-elle entre ses dents.

Je crois comprendre. Ce ne sont pas les soldats de Sophie Saphir qui sont cachés entre les arbres. C'est l'armée d'Ernesto Armaturo. Le plus cruel des **Dragonniers**. Celui qui enseigne à ses soldats la férocité.

Un cri s'échappe de ma bouche. Je n'y peux rien: il est sorti sans ma permission.

Immédiatement, une **puissante gifle** s'abat sur ma joue.

— Crétine ! crache Sophie Saphir.

À partir de là, tout va très vite. Alerté par les cris, Léo émerge de derrière la chute. Aussitôt, un des soldats accompagnant Saphir se jette sur lui. Il est armé d'un couteau. **UN COUTEAU** qui va transpercer la poitrine de Léo.

Je m'élance… et je retombe aussitôt. J'avais oublié que mes pieds sont ligotés.

En relevant la tête, j'aperçois Léo en *position d'autodéfense*. Il a réussi !

Grâce aux enseignements de Momo, mon meilleur ami n'est pas blessé. Ses bras lui ont servi de bouclier.

Surpris par le geste de Léo, le soldat a échappé son arme. Tout près de moi.

Kraaaa

Je réussis à refermer mes mains sur le couteau. Aussitôt, un autre soldat pose sa grosse botte sale sur mon pauvre petit bras.

Sophie Saphir se met alors à hurler comme une **défoncée**. Comme si on lui arrachait les cheveux. Ou les yeux.

Elle s'élance vers la rive la plus éloignée du bassin d'eau au pied de la chute. Les soldats qui l'accompagnent se précipitent *à ses trousses*.

Léo et moi assistons à la même scène spectaculaire.

Spartacus et Ernesto sont debout face à face près du bassin au pied de la chute. Spartacus est armé d'un sabre, Ernesto d'une épée. La haine les *DÉFIGURE*.

Derrière eux, des soldats semblent attendre un ordre de leur chef.

Un son perçant attire mon attention. C'est un cri d'oiseau que seuls Léo, Sylvain et moi connaissons. Le cri du chouya. Un oiseau qui n'existe pas. Nous l'avons déjà utilisé comme signal d'alerte sur l'île Mandra.

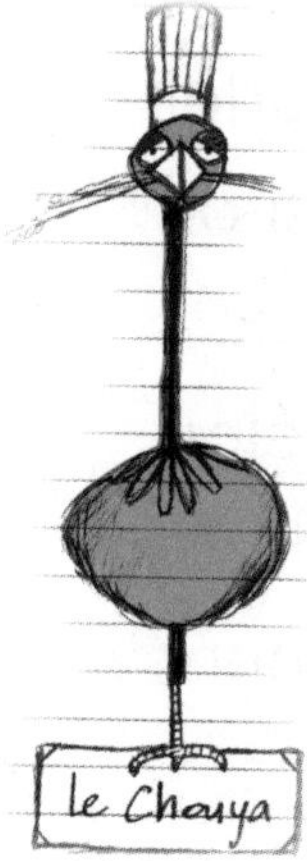

le Chouya

Sylvain veut qu'on sache qu'il n'est pas loin. En même temps, notre ami ex-bandit nous rappelle à l'ordre. Il faut agir. Et vite.

Léo m'aide à me *libérer* de mes liens.

— Viens ! souffle-t-il en m'attrapant par la main.

Nous plongeons sous le rideau d'eau pour rejoindre Momo et les dragons.

C'est avec eux qu'on doit établir un plan d'action.

Je leur en veux un peu de s'être si peu souciés de nous en restant tranquillement cachés. Ils n'ont même pas montré le bout du museau ou du nez!

SAPERLIBOBETTE! La grotte est vide. Momo, Sam et Dédale ont disparu.

À l'autre bout du bassin d'eau, Ernesto et Spartacus se dévisagent.

Qui attaquera le premier?

Une lame fend l'air en sifflant. L'épée du chef des Dragonniers rate Spartacus de justesse. L'amoureux de Sophie Saphir bondit. Il est souple et rapide. Son sabre frôle **Ernesto** en s'abattant.

Quel combat barbare ! Le sang va gicler. *Quelqu'un va mourir.*

Les coups se multiplient. Les combattants sont de plus en plus redoutables et astucieux. Mais Ernesto est le plus **féroce**. Ce n'est plus un humain : c'est une machine de guerre. Sa cruauté est terrifiante. Et Spartacus montre des signes de fatigue.

Entre deux assauts, la voix de Sophie Saphir retentit :

— À l'attaque !

Elle espère sauver la vie de son beau Spartacus en déployant ses soldats contre l'armée d'Ernesto.

A-t-elle oublié que les dragons sont sa priorité ? Ou les imagine-t-elle toujours bien à l'abri derrière la chute ?

SS a donné un ordre à son armée et pourtant… aucun soldat n'a bougé. *Que se passe-t-il?*

Une petite lumière s'allume tout à coup dans ma tête.

— IN-SUR-REC-TION! dis-je à haute voix.

CHAPITRE 19

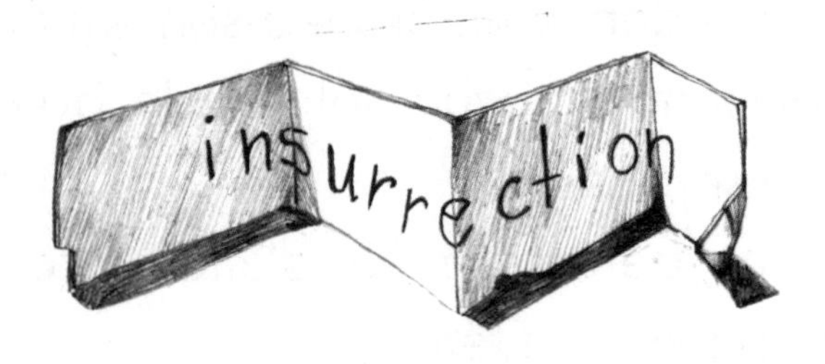

Magie pure

Je me souviens tout à coup de la signification du mot. C'est mon père qui l'a déjà utilisé.

— Si tu n'es pas satisfaite de ton sort à la maison, Lili Labrie, tu n'as qu'à préparer une **insurrection**, m'a-t-il déjà avertie à la blague.

Une insurrection, c'est comme une révolte ! Tilt ! Maintenant, je comprends le message écrit sur le bout de papier.

J'explique rapidement la situation à Léo:

— Sylvain et d'autres membres du Cercle Lancelot ont infiltré l'armée des Dragonniers. Et ils ont convaincu les soldats de ne plus obéir à leurs dirigeants. Ils ont préparé une révolte. Une in-sur-rec-tion!

Mon ami brasse ces informations dans sa cervelle de génie.

— Ça pourrait signifier que tous les soldats se sont ralliés à la cause du Cercle Lancelot, conclut Léo.

J'ose à peine y croire.

— Pour l'instant, notre priorité, c'est de retrouver Momo et les dragons, tranche Léo. Ils étaient avec moi, dans l'abri, avant que tu arrives. Ils ont dû se *sauver* en cachette pendant qu'un soldat m'attaquait...

Léo semble peiné. Comme si Momo et les dragons nous avaient abandonnés. Je pense au contraire que Momo a un plan.

— Tu te souviens de ce que Momo nous a enseigné, Léo ? Ne jamais attaquer. Il faut distraire l'adversaire, se protéger ou... se sauver. Faisons **confiance** à Momo.

— Tu as raison, Lili. Essayons de penser comme lui. Où irait-il à ton avis ?

— Il trouverait une cachette pour les dragons dans la forêt. Le problème, c'est qu'il y a des milliards de cachettes possibles...

— Lili ! Regarde !

Sylvain Sicotte avance vers Ernesto et Spartacus. Une véritable armée marche derrière lui. Une bouffée de fierté m'envahit. Et un peu de honte aussi. *Je me jure de ne plus jamais douter de Sylvain Sicotte.* Même si c'est un ex-bandit.

Spartacus laisse tomber son sabre sur le sol. Il est pâle comme une feuille de cahier. C'en est fini pour lui et il le sait.

Mais Ernesto Armaturo ne s'avoue pas vaincu. Un nombre imposant de soldats encore cachés dans la forêt surgissent tout à coup, prêts à obéir aux ordres du **chef des Dragonniers**.

Les forces sont divisées. Les soldats de Saphir ont changé de camp. Ils obéissent à Sylvain maintenant. Mais l'armée d'Ernesto reste fidèle aux Dragonniers.

—Dégage, le **balafré** ! crache Ernesto à la figure de Sylvain.

Les soldats derrière Sylvain réagissent en levant leurs armes, prêts à combattre au signal de leur chef.

D'un geste, Sylvain leur commande de se calmer.

— Les chevaliers du Cercle Lancelot ne font pas la guerre, lance-t-il d'une voix forte et ferme.

Un murmure parcourt les deux armées. Ces paroles semblent insensées.

— La mission des Chevaliers Lancelot est d'améliorer le sort de l'humanité.

Avec l'aide des dragons, affirme Sylvain.

Des rires fusent de l'armée d'Ernesto. Plusieurs soldats s'exclament, comme si c'était une bonne blague :

— Des dragons ! Des DRA-GONS ! lancent-ils avant de hurler de rire à nouveau.

Visiblement, les soldats d'Ernesto ne croient pas en l'existence des dragons.

Et encore moins à leur présence parmi nous.

Le chef des Dragonniers leur a caché l'enjeu des batailles. Ses soldats lui obéissent a-veu-glé-ment.

C'est hallucinant!

— À l'attaque! hurle Ernesto Armaturo.

Les soldats ne réagissent pas.

Fiou! Préparent-ils une insurrection eux aussi?

Non... Après un moment d'hésitation, l'armée des Dragonniers fonce vers les soldats du Cercle Lancelot.

Sylvain maintient son commandement. ***Défense d'attaquer.*** Il ordonne plutôt à ses troupes de former un rang très serré. Une sorte de bouclier...

Malheureusement, les soldats d'Ernesto sont plus nombreux.

On est morts. Cuits. Finis.

Léo me secoue légèrement. De l'index, il pointe le sommet des chutes.

Mon coeur monte jusqu'au ciel.

Sam, Momo et Dédale ont emprunté le sentier pour grimper en haut des chutes. À part nous, personne ne semble les avoir vus.

Une immense gerbe de flammes embrase le ciel au-dessus de nos têtes, alors que les deux dragons crachent du

feu en même temps. Tous les regards se tournent vers le sommet de la falaise.

Des cris de stupéfaction fusent des deux armées. Les soldats d'Ernesto Armaturo n'en croient pas leurs yeux. Et ceux derrière Sylvain sont bouche bée, même s'ils savaient déjà que Sam et Dédale existent. La scène est trop impressionnante.

Sam est splendide. Dédale aussi. Même à côté de Momo qui est si grand, ils sont vraiment majestueux. On dirait… qu'ils ont grandi!

Ernesto ne se laisse pas désemparer.

—Ces dragons représentent un danger, déclare-t-il à ses soldats. Le balafré est fou. Il

pense s'allier à ces créatures maléfiques. Nous devons l'en empêcher. Vous devez **vaincre** l'armée du balafré.

Le chef des Dragonniers a bien choisi ses mots. Un concert d'approbations parcourt son armée. Même les soldats de Sylvain semblent troublés. Plusieurs songent sans doute à changer de camp une seconde fois.

Une voix s'élève près de moi. C'est Léo!

— Ne l'écoutez pas, proteste mon ami.

Léo parle fort pour être bien entendu. Il est convaincu. Et **convaincant**.

— Ces dragons sont puissants, mais bons, poursuit Léo. Leurs pouvoirs sont fabuleux. Et ils sont nos **amis**.

Le regard des soldats voyage entre Léo et les dragons. Chacun se demande qui a raison. Léo ou Ernesto ? Il faut qu'ils croient en nous !

Des phrases du grand livre sur les dragons me reviennent. Sans même réfléchir, je me mets à réciter :

— *Les dragons sont les gardiens de nos printemps futurs. Ils peuvent décrocher le soleil, soulever le vent, faire tomber la neige...*

Sur ces mots, Sam déploie ses ailes. Dédale fait pareil. Ses ailes sont moins brillantes, mais encore plus grandes. Un murmure d'admiration s'élève de la foule.

— Écoutez-moi ! réclame Ernesto.

Le chef des Dragonniers n'a pas de chance : Sam lui vole la vedette. Notre enfant dragon étire le cou, bat des ailes, fait tournoyer sa queue...

Et, comme en écho à mes paroles, une vaste opération magique perturbe notre univers. Au-dessus de nos têtes, bien plus haut que les dragons, le soleil descend soudain. Tout doucement. Mais sans raison. Ce n'est ni l'heure ni la manière. On dirait qu'il s'est décroché du ciel...

Puis, le vent se lève. Comme par enchantement ! Un bon vent, doux et tiède. Et pourtant... **il neige** ! Des milliards d'étoiles givrées tombent du ciel.

Sam fait claquer ses ailes chatoyantes et, du coup, le soleil réapparaît, illuminant les étoiles de neige.

Des larmes roulent sur mes joues. C'est tellement beau. Tellement féérique.

Léo presse ma main dans la sienne. Il est aussi ému que moi.

La draconite de Sam lui donne des pouvoirs extraordinaires.

On est gigantesquement fiers de notre enfant dragon.

Les soldats restent immobiles, soufflés par les exploits de Sam. Je pense qu'ils sont sous le charme. Comme Léo et moi.

Mais **Ernesto** n'a pas dit son dernier mot.

— Vous avez vu ? Ce dragon peut assécher nos rivières, incendier nos forêts, nous **tuer** d'un crachat de flammes, prévient-il. Vivant, il est dangereux. Mort, il nous rendra riches et puissants.

Quoi ?! Au lieu d'en faire une arme de destruction, Ernesto veut maintenant tuer Sam ?

La promesse d'Ernesto secoue bon nombre de soldats. Et si c'était vrai ? Si, en tuant un ou deux dragons, ils pouvaient devenir riches et puissants, ne serait-ce pas fantastique ?

Sylvain et Ernesto se font face. Chacun a une armée derrière lui. Qui obéira à qui ?

Je me gratte l'épaule droite. Trois fois. Léo fait pareil.

Il se pose la même question que moi.

CHAPITRE 20

Colère monstre

— À l'attaque ! hurle Ernesto Armaturo.

Je serre la main de Léo tellement fort que je risque de lui broyer les os. Les soldats du chef des Dragonniers brandissent leur **épée**, prêts à charger l'armée de Sylvain.

Dédale pousse un rugissement effarant. Toutes les têtes se tournent vers lui, alors qu'un *puissant jet de flammes* sort de sa gueule.

Le dragon d'Ernesto est clairement converti au Cercle Lancelot. Il est prêt à faire rôtir tous les soldats du chef des Dragonniers.

D'un simple coup d'œil, Sam commande à son ami d'arrêter. Notre bon dragon a retenu les leçons de Momo. Au lieu d'attaquer, il darde son beau regard mauve sur les soldats. Sam ne crache pas de feu, mais ses yeux sont flamboyants.

Hypnotisants !

Même de loin, à la clarté du jour, on peut voir sa draconite luire sous son crâne. Comme pour mieux déployer ses pouvoirs, Sam étend ses ailes majestueuses. Il est magnifique.

Mais plus important encore, il est magique.

— Lili, murmure Léo. Le sens-tu ?

— Oui…

Sam nous transmet des ondes secrètes. Des ondes paisibles et pacifiques qui éteignent secrètement la colère. Tous les soldats sont atteints par les pouvoirs de Sam. Ils ressentent sa force et sa douceur. Sa bonté aussi. Et ça leur fait du bien. Ça se voit…

Une à une, les armes tombent sur le sol : épées, couteaux, sabres, lances…

Léo me serre contre lui.

On est tellement heureux, tellement soulagés.

Ernesto garde une main crispée sur son sabre. Il résiste. Sam n'a pas encore assez de puissance, à son âge, pour vaincre la rage du chef des Dragonniers lorsqu'il est déchaîné.

Ernesto Armaturo refuse de s'avouer vaincu. Mais au lieu d'agir comme un chef, il pique une colère monstre.

Il hurle, trépigne, grogne, crache, tape du pied et saute sur place. On dirait un petit garçon de maternelle à qui on a arraché son jouet. Le chef des Dragonniers est tellement ridicule qu'il en perd toute crédibilité. Jamais plus il ne pourra commander une armée.

Le cri du chouya retentit. Sylvain réclame notre attention. En suivant son regard, on voit Sam et Dédale s'élancer du haut de la chute.

Les deux armées reculent pour céder la place aux dragons qui vont atterrir.

Ernesto profite de la distraction pour se ressaisir. Personne ne voit son **sabre** fendre l'air et s'abattre.

Sylvain s'écroule au moment où Sam et Dédale touchent le sol. Du sang *gicle* de la poitrine de notre ami ex-bandit.

Les soldats sont stupéfaits. Nous aussi. Pendant un bref moment, le temps semble suspendu.

Je voudrais courir vers Sylvain, mais Léo me retient. Il m'entraîne vers les dragons.

— Il faut partir, Lili. Sam ne peut pas *hypnotiser* les soldats pour toujours.

Je ne suis pas d'accord.

— Les soldats d'Ernesto ont compris qu'il est fou. Ils vont joindre les rangs du *Cercle Lancelot* maintenant.

— On ne peut pas encore faire confiance aux soldats d'Ernesto, soutient Léo. C'est trop risqué. Sylvain voulait qu'on suive Sam et Dédale. C'est pour ça qu'il nous a alertés avec le cri du chouya.

Non. NON! *Je refuse d'abandonner Sylvain*. J'ai déjà manqué de confiance en lui, alors qu'il a fait beaucoup pour nous. Il faut l'aider.

Sam me force à obéir. Il s'est approché de nous et maintenant, il enroule sa queue autour de ma taille, me soulève dans les airs et m'installe sur son dos.

C'est alors seulement que je prends conscience que notre dragon a réellement grandi. Dédale aussi. Ils sont presque deux fois plus hauts et plus gros. Et des cornes pointues ont poussé sur le crâne de Dédale.

J'ai à peine le temps de me cramponner à Sam qu'il s'envole, suivi de Dédale, qui porte Léo sur son dos. Nous quittons les soldats, Ernesto Armaturo, Sophie Saphir, Spartacus… et Sylvain Sicotte! Je ne peux pas détacher mes yeux du sol où Sylvain gît, gravement blessé.

Des soldats se sont approchés pour secourir Sylvain. Fiou ! Mais… un géant les repousse doucement. Momo a dévalé le sentier. Il prend l'affaire en main.

Je le vois soulever Sylvain comme s'il ne pesait rien et le hisser sur son dos. J'aimerais savoir où il l'emmène, mais nous sommes déjà trop loin. **Momo**, Sylvain et tous les soldats ne sont plus que de minuscules points.

Sam et Dédale se déplacent rapidement en rasant le sommet des arbres. Notre enfant dragon, qui ne ressemble plus à un enfant du tout, sait exactement où il veut nous emmener.

Nous survolons présentement la clairière où on s'était construit un refuge juste assez grand pour Léo, les dragons et moi. Parce que Momo préférait dormir dehors. Pour mieux entendre tous les bruits. *Pour mieux nous protéger.*

Mon cœur se serre à ces souvenirs, alors que Sam atterrit en rabattant ses ailes contre lui. Au lieu de sauter à terre, je dois glisser de son dos parce que *Saminou* est trop haut.

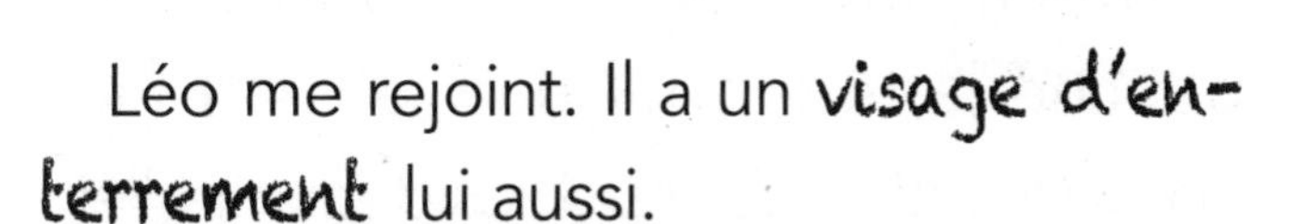

Léo me rejoint. Il a un **visage d'enterrement** lui aussi.

Nous sommes sains et saufs pourtant. Après avoir failli être détruits par l'armée d'Ernesto. Mais notre ami ex-bandit est peut-être en **danger de mort**.

— Sylvain va s'en sortir, promet Léo d'un ton peu convaincant.

J'essaie quand même d'y croire.

—Momo a survécu à toutes sortes d'épreuves. Il va savoir comment soigner Sylvain, dis-je à mon tour.

Je m'approche lentement de Sam. Il est encore plus beau qu'avant. On dirait qu'une pluie d'or est tombée sur lui. Des paillettes blondes scintillent sur son pelage et sur ses plumes.

—Merci, Saminou, dis-je, alors qu'il penche la tête pour que je gratte les nouvelles plumes entre ses deux oreilles.

Léo prend le temps de caresser Dédale avant de se tourner vers Sam.

—Qu'est-ce qu'on fait maintenant ? demande mon ami.

Pour toute réponse, Sam étire son cou et scrute le ciel. Comme s'il savait quelque chose. Comme s'il allait se passer quelque chose.

Dans le ciel, peut-être...

Planté au beau milieu de la clairière, notre dragon utilise le petit triangle au bout de sa queue pour tracer un grand cercle sur le sol autour de lui. Puis, il plonge son regard dans le mien et dans celui de Léo. Je reconnais les signes d'épuisement dans ses prunelles mauves. Notre dragon a déployé toutes les forces qu'il avait en lui.

Malgré cela, au prix d'efforts inouïs, il parvient à prononcer d'une voix grave et caverneuse:

— Li-Li... Lé-o...

Puis, sans plus attendre, il se dirige vers la forêt tout près, suivi de son ami dragon. Léo et moi n'hésitons pas une seconde. Nous le suivons.

CHAPITRE 21

Enfin Thibert ?

Notre brave dragon s'arrête devant le bassin d'eau boueuse où Dédale et lui ont bu, il y a quelques jours. *Pourquoi vient-il boire ici, alors qu'un ruisseau d'eau fraîche coule dans la clairière ?*

Dédale connaît la réponse. Il a compris le plan de Sam. Le dragon d'Ernesto pose sur nous un regard humide. Un regard d'une étonnante douceur qui me va droit au cœur. Puis, il plonge dans le marais et y disparaît.

Je tremble de tous mes membres alors que Sam s'avance à son tour. Avant de s'enfoncer dans l'eau sombre, notre enfant dragon se tourne vers nous et sa gueule s'étire drôlement. On dirait qu'il sourit.

C'est sa façon à lui de nous convaincre que tout va bien. Sa façon aussi de nous dire au revoir.

J'ai peine à y croire. Je voudrais tellement le retenir, mais une voix secrète me chuchote que je dois le laisser partir. Une larme glisse sur ma joue. À mes côtés, Léo renifle un grand coup.

— Ils sont en sécurité ici, parvient-il à murmurer.

— Oui… Ils vont dormir sous l'eau. Pendant des jours ou des années, dis-je en ravalant un sanglot.

On devrait s'inquiéter de ce qui va nous arriver, mais la séparation d'avec Sam et Dédale prend toute la place dans notre cœur et dans notre esprit.

Alors, on reste là, Léo et moi, devant l'eau croupie où les deux dragons ont disparu.

— Campons ici, près d'eux, suggère Léo. On peut se faire un lit de branches et de feuilles.

— Bonne idée. Mais il faut s'assurer d'être bien cachés. Au cas où les soldats redeviendraient un danger.

— Au cas où Ernesto reprendrait le pouvoir, ajoute Léo.

On n'ose pas prononcer les noms de Sylvain et de Momo. *Notre ami ex-bandit est-il en danger de mort ? Momo saura-t-il l'aider ? Et déjouer les plans toujours diaboliques de son grand frère ?*

Un vrombissement perce le silence.

Un hélicoptère !

Les grands arbres feuillus de la forêt tropicale nous empêchent de voir l'appareil, mais on entend bien le **bruit** du moteur et de l'hélice. Le vrombissement nous guide vers la clairière.

Mon cœur bat à tout rompre. Pas seulement parce qu'on court à toute vitesse, mais aussi parce que j'imagine mon parrain dans cet hélicoptère. **Enfin !**

Il était temps que Thibert Thibodeau montre le bout de son nez. C'est à cause de lui qu'on aime Sam. Et Dédale. À cause de lui qu'on est devenus *chevaliers*. À cause de lui, aussi, qu'on est ici.

Léo s'arrête juste avant qu'on quitte la forêt.

— Attendons, Lili, souffle-t-il. Ça pourrait être des complices d'Ernesto…

Je ne me sens plus la force d'affronter d'autres épreuves. Mais mon ami a raison. Il faut s'armer de *patience*.

L'hélicoptère se pose au beau milieu du cercle tracé par Sam un peu plus tôt, en affolant les plantes et les fleurs autour. Le moteur s'éteint. La porte s'ouvre.

Amélie Meyeur saute à terre. C'est elle, notre **sauveteur** ? Je n'en crois pas mes yeux. Mon ex-ennemie devenue complice et amie !

Brave Amélie. Une chance qu'on lui a fait confiance. À part les membres du Cercle Lancelot, elle seule sait que nous sommes des enfants chevaliers en mission.

Mais comment nous a-t-elle retrouvés ?

Le pilote de l'hélicoptère la rejoint. Je le reconnais. C'est le père d'Amélie ! Léo et moi nous précipitons vers eux.

Mais on n'avance pas. Des mains se sont plaquées sur nous. **Des soldats!**

Un rire sardonique résonne. Je me retourne.

Sophie Saphir ! Nous l'avions oubliée.

La sorcière et les quelques soldats qui la suivent partout nous ont rattrapés.

— Où sont les dragons ? vocifère SS.

Dans ma tête, aussitôt, malgré tout, je songe : Fiou ! *Elle ne sait pas où Sam et Dédale sont cachés.*

CHAPITRE 22

Arturo Meyeur

Sophie Saphir ne sait pas non plus que je suis armée. Le couteau qu'a laissé tomber Spartacus est accroché à une ganse de mon pantalon. Les soldats ne l'ont pas vu parce que mon tee-shirt le camoufle.

Une véritable bousculade se produit dans ma tête. En même temps, les paroles de Momo me reviennent.

Le vrai vainqueur, c'est toujours celui qui s'en sort sans attaquer. Il faut fuir l'ennemi, le repousser, se transformer en bouclier… ou quoi encore ? Le divertir… Le déjouer…

Je veux bien. Mais COMMENT ? Surtout quand plusieurs soldats vous empêchent de bouger.

Ma main droite est libre. Je n'ai qu'à prendre le couteau et le planter n'importe où dans le corps d'un des soldats pour créer un effet de surprise.

Je ne veux pas tuer quelqu'un. C'est sûr. Mais je me sens peut-être capable de blesser un des soldats. Juste un peu…

Pour sauver ma peau. Et celle de Léo. Qu'en penserait Momo ? J'imagine notre *gentil géant* près de moi. Et ça me donne une idée…

J'inspire un grand coup et je m'efforce de prendre un ton calme pour parler.

— J'ai une proposition.

— Quoi ? **croasse** Sophie Saphir de sa voix de corneille.

Léo me lance un regard du genre : *Qu'est-ce qui te prend, Lili ?*

Je parle comme si j'étais en train d'écrire un roman.

— Nous allons nous associer. L'homme qui vient de descendre de l'hélicoptère est très, très riche. Et il veut la **draconite** de Sam et Dédale, lui aussi. Pour devenir encore plus riche…

— Merrrrveilleux ! susurre la sorcière Saphir.

Jusqu'à présent, tout va bien. Alors, je continue en espérant que mon nez ne *s'allongera* pas comme celui de Pinocchio.

—Je vais vous le présenter. Il sera heureux d'avoir une aussi… aussi…

—**Merveilleuse associée**, poursuit Léo à ma place. Mais avant, nous devons le mettre au courant. Son nom est… Arturo Meyeur. Il va tomber sous votre charme. C'est sûr !

Ni Léo ni moi ne connaissons le prénom du père d'Amélie. Mais Léo a compris qu'il faut mettre le paquet.

—Allez-y ! glousse Sophie Saphir. Je vous attends…

Les soldats nous relâchent. Léo et moi courons à toutes jambes vers Amélie et son père.

— Au secours! souffle Léo. Aidez-nous...

J'ajoute dans un murmure:

— Il faut partir tout de suite!

Puis, je me retourne vers Sophie Saphir en souriant pour qu'elle ne se doute de rien. Léo agite une main en direction de la sorcière Saphir afin qu'elle croie qu'on parle gentiment d'elle.

Le père d'Amélie est génial. D'un grand geste, il salue de loin Sophie Saphir tout en glissant tout bas:

— Montez à bord! Vite!

Amélie nous tire par le bras. Et hop! On saute dans l'hélicoptère.

Un millionième de seconde plus tard, les soldats de Saphir nous surprennent en faisant apparaître des fusils dissimulés sous leurs vêtements.

Une balle vient heurter la porte de verre. Mais le père de Sophie est à l'intérieur de l'oiseau de métal et le moteur vrombit déjà.

Nous sommes sauvés! Pour l'instant, en tout cas...

Dans la cabine, le bruit est tellement fort que ça ne sert absolument à rien d'essayer de parler. Par contre, le vacarme n'empêche pas les questions de crépiter dans ma cervelle.

Le père d'Amélie est-il complice du Cercle Lancelot? A-t-il parlé à mon parrain, Thibert Thibodeau?

Sam et Dédale sont-ils réellement en sécurité? Et si un soldat d'Ernesto nous avait espionnés? Si quelqu'un avait vu les dragons disparaître dans l'eau sombre?

Qu'arrivera-t-il à Sylvain et Momo? Ernesto Armaturo et Sophie Saphir vont-ils planifier d'autres atrocités?

Notre mission est-elle terminée? Les dragons vont-ils réussir à améliorer le sort de l'humanité?

Mais surtout, plus que tout, par-dessus tout, reverrons-nous Sam, un jour?

CERCLE
LANCELOT

Épilogue

Des mois ont passé. Léo et moi avons repris l'école. Nous savons que Sylvain est sain et sauf. Mon parrain nous l'a annoncé dans un bref courriel. On n'a aucune idée de ce qui est arrivé à Ernesto Armaturo, Sophie Saphir ou même Momo, notre cher gentil géant.

Le père d'Amélie s'appelle Sébastien Meyeur. Il est devenu membre du Cercle Lancelot après qu'Amélie, inquiète pour nous, se soit confiée à lui. Je n'en veux pas à mon ex-ennemie. Monsieur Meyeur est riche et puissant. Son recrutement constitue un formidable atout pour le Cercle Lancelot.

Je pense à Sam sans arrêt. À chaque fois, j'émets le souhait de le revoir un jour. Dédale aussi me manque. Malgré tout…

Je rêve encore de séjourner à l'île Mandra avec Léo, Sam, Dédale et notre vieille amie Émeline. Thibert viendrait nous rendre visite, et Sylvain aussi. Je les imagine déguisés, comme ils le font souvent. Ce serait merveilleux !

Heureusement, Léo n'est jamais très loin de moi. Lorsque je m'ennuie trop de Sam et des autres, nous revisitons ensemble nos souvenirs et après, je me sens mieux.

J'ai continué d'inscrire des notes dans mon album. Et j'espère bien pouvoir y ajouter d'autres aventures. En attendant, je suis particulièrement fière de mon dernier dessin.

Il m'arrive souvent de consulter mes messages. J'espère toujours en recevoir un de mon parrain nous annonçant qu'il nous expédie à nouveau en mission quelque part à l'autre bout du monde. N'importe où. À condition que Sam et Dédale soient avec nous.